LE SHAH

Ryszard KAPUŚCIŃSKI

LE SHAH

Traduit du polonais par
Véronique Patte

Flammarion

This publication has been funded by
The Book Institute – The © Poland Translation Program.

INSTYTUT KSIĄŻKI
©POLAND

NOTE DE LA TRADUCTRICE

Pourquoi retraduire *Le Shah*, ce texte majeur de Ryszard Kapuściński ? Les raisons sont doubles.

Tout d'abord la précédente traduction (Dennis Collins, Flammarion, 1986) fut réalisée à partir de l'édition anglaise (Katarzyna Mroczkowska-Brand et William R. Brand, Harcourt Brace Jovanovich, 1985) et non pas de l'original polonais. Or nul n'ignore que la traduction d'une traduction accroît la déperdition tant du fond que du style. Lors de nos rencontres, Ryszard Kapuściński me disait ainsi regretter que ses premiers livres traduits en français ne l'aient pas été du polonais et il insistait pour que ce préjudice soit réparé.

Cette nouvelle traduction du *Shah* s'imposait d'autant plus que la version anglaise – et par conséquent toutes celles qui n'ont pas été faites à partir de l'original – comportait de nombreuses coupes, au total une trentaine de pages, qui portent essentiellement sur des passages évoquant l'ingérence des États-Unis en

Iran. S'agit-il d'une forme de censure politique opérée par l'éditeur américain, à une époque où le monde était encore divisé en deux blocs ? L'auteur se serait-il autocensuré pour mieux assurer la diffusion de son œuvre ? Les avis divergent à ce sujet, que Kapuściński lui-même n'aimait pas aborder et sur lequel il est toujours resté discret et imprécis.

Dans la présente édition, les passages anciennement supprimés sont signalés par des crochets droits. Le lecteur accède ainsi, pour la première fois, à l'ouvrage de Kapuściński dans son intégralité.

FEUILLES, VISAGES
ET CHAMPS DE FLEURS

Cher Bon Dieu,
Je voudrais que les vilaines choses
n'existent pas.

Debbie

Lettres d'enfants au Bon Dieu,
Éditions Pax, 1978.

Tout est sens dessus dessous, comme après une perquisition violente et fébrile. Le plancher est jonché de
journaux, de publications locales et étrangères, d'éditions spéciales, avec des titres accrocheurs :

IL EST PARTI !

Grandes photos d'un visage long, émacié, si tendu
qu'il ne trahit aucune nervosité, aucun désarroi, traits
si maîtrisés qu'ils n'expriment rien. Juste à côté,
d'autres éditions spéciales, avec une date ultérieure,
clamant avec fièvre et triomphe :

IL EST REVENU !

En dessous, en pleine page, la photographie d'un
visage patriarcal, sévère et fermé, qui ne manifeste
aucun désir de se livrer.

(Entre ce départ et ce retour, que d'émotions et
d'effervescence ! Que de colère et d'épouvante ! Que
d'incendies !)

Le plancher, les chaises, la table, le bureau sont couverts de feuilles, de boulettes de papier, de notes écrites à la hâte et de manière si confuse que je ne sais plus d'où a été tirée cette phrase : « Il vous séduira et vous fera des promesses, mais ne vous laissez pas tromper ! » (Qui a prononcé ces mots ? Quand ? À qui étaient-ils adressés ?)

Autre message griffonné au crayon rouge sur toute la largeur d'une feuille : « Appeler sans faute le 64 12 18 (il s'est écoulé tellement de temps, depuis, que je suis incapable de me rappeler à qui appartient ce numéro de téléphone et pourquoi il est si important). »

Lettres inachevées, jamais envoyées. « Mon vieux ! Je pourrais te parler sans fin de ce que j'ai vu et vécu ici. Mais j'ai du mal à mettre de l'ordre dans mes idées qui... »

Le chaos est particulièrement impressionnant sur la grande table ronde : photos de formats divers, cassettes vidéo, bobines 8 mm, bulletins, photocopies de tracts. Tout est pêle-mêle, entassé, mélangé, comme au marché aux puces. Affiches, albums, disques, livres, achetés ou offerts, archives d'une époque qui vient de se terminer mais que l'on peut encore voir ou entendre sur des films : rivières humaines houleuses ; sur des cassettes : lamentations de muezzins, ordres militaires secs, conversations, monologues ; sur des photos : visages béats, extatiques.

L'idée de ranger ma chambre, puisque l'heure de mon départ approche, me rebute et m'épuise. Il est vrai que, quand je m'installe à l'hôtel – cela m'arrive souvent —, j'aime m'entourer d'une certaine pagaille. Pour moi, le désordre crée une sensation de vie, il est un substitut d'intimité, de chaleur et aussi la preuve (illusoire) que la nature étrangère et inhospitalière de la chambre d'hôtel a été vaincue et apprivoisée. Je me sens mal à l'aise et solitaire dans une chambre méticuleusement rangée. Les lignes droites, les arêtes des meubles, les murs lisses me gênent. La géométrie froide et raide, les aménagements artificiels et scrupuleux, qui semblent n'exister que pour eux-mêmes et excluent toute présence humaine, me hérissent. Heureusement, quelques heures après mon installation, l'ordre initial se délite et se dilue sous l'effet de mes gestes, souvent inconscients, suscités par l'impatience ou la paresse. Tous les objets prennent vie, changent de place, entrent dans des configurations et des relations sans cesse nouvelles, l'espace se réduit et se fait baroque, plus accueillant et plus intime. Enfin je peux souffler et me détendre intérieurement.

Pour le moment, toutefois, je n'ai pas la force de déplacer la moindre babiole, je descends donc au rez-de-chaussée où quatre jeunes gens boivent du thé et jouent aux cartes dans un hall lugubre et désert. Un jeu compliqué dont j'ai toutes les peines du monde à comprendre les règles. Il ne s'agit ni du bridge, ni du poker, ni du tarot, ni du rami. Ils utilisent deux paquets à la fois. Ils jouent en silence jusqu'au moment où l'un des joueurs ramasse la mise, l'air enchanté, puis tous rendent leurs cartes, ils les étalent sur la table par plis de dix, ils réfléchissent et calculent sans cesser de se chamailler.

Ces quatre hommes, réceptionnistes de l'hôtel, vivent à mes dépens, car en ce moment je suis leur seul client. À part eux, j'entretiens aussi des femmes de ménage, des cuisiniers, des serveurs, des blanchisseuses, un jardinier, ainsi que deux ou trois personnes et leurs familles, je crois. Je ne veux pas dire qu'ils mourraient de faim si je ne réglais pas mes factures à temps, mais on ne sait jamais, je m'efforce d'être à jour dans mes comptes. Il y a quelques mois encore, dénicher une chambre dans cette ville relevait du miracle. Malgré la quantité d'hôtels qui s'y trouvent, les voyageurs étaient contraints de louer un lit dans une clinique tant la ville était bondée. Maintenant, finies les affaires ! Fini l'argent facile ! Finies les transactions étourdissantes ! Les businessmen locaux adoptent un profil bas. Quant à leurs partenaires étrangers, ils sont repartis dans la panique en abandonnant tout sur place. Le tourisme s'est soudain arrêté, les échanges avec l'étranger se sont figés. Certains hôtels ont été brûlés, d'autres ont fermé leurs portes ou sont vides. Dans l'un d'eux, des combattants ont installé leur quartier général. Désormais, la ville est concentrée sur elle-même, elle n'a plus besoin d'étrangers, elle n'a plus besoin du monde.

Les joueurs de cartes interrompent leur jeu, ils me proposent à boire. Ici, on sort du thé ou du yaourt, jamais de café ni d'alcool. La consommation de boissons spiritueuses peut coûter quarante à soixante coups de fouet au contrevenant. Si le châtiment est infligé par un gaillard (les amateurs de cravache sont généralement des gros-bras), son dos risque d'être transformé en chair à pâté. Nous buvons donc sagement notre thé brûlant en fixant l'autre bout du hall où un téléviseur trône sous une fenêtre.

Sur l'écran apparaît le visage de Khomeyni.

Assis sur un fauteuil en bois brut perché sur une estrade au centre d'une place, l'ayatollah fait un discours. L'action se passe dans un quartier pauvre (à en juger d'après la qualité des immeubles) de la ville de Qom. Qom est une bourgade grise, plate, sans charme, située à cent cinquante kilomètres au sud de Téhéran, sur une terre déserte, désolée, plus brûlante que l'enfer. On pourrait croire que la chaleur torride n'est pas propice à la réflexion et à la contemplation. Qom est pourtant une cité de ferveur religieuse, d'orthodoxie pure et dure, de mystique et de foi belliqueuse. Cette ville abrite cinq cents mosquées et les plus grands séminaires du pays. C'est à Qom que les experts du Coran et les gardiens de la tradition débattent, que les vénérables ayatollahs délibèrent, c'est de Qom que Khomeyni dirige le pays. Il ne quitte jamais Qom, ne se rend jamais dans la capitale, ne va jamais nulle part, ne visite rien, ne fréquente personne. Naguère il vivait avec sa femme et ses cinq enfants dans une maisonnette au fin fond d'une ruelle étroite non pavée, poussiéreuse et étouffante, parcourue en son milieu par un caniveau. Maintenant il s'est rapproché du centre et demeure dans la maison de sa

17

fille, avec un balcon donnant sur la rue. De ce balcon, Khomeyni salue les hommes rassemblés en foule (pour la plupart, des pèlerins fervents venus visiter les mosquées de la ville sainte et surtout se recueillir sur la tombe de l'Immaculée Fatima, sœur du huitième imam Reza, lieu interdit aux profanes). Khomeyni vit comme un ascète, il se nourrit de riz, de yaourt et de légumes, habite dans une chambre aux murs nus, sans meubles, avec seulement un lit et une pile de livres par terre. C'est dans cette pièce que Khomeyni reçoit ses invités (y compris les délégations étrangères officielles), assis sur une couverture étendue sur le plancher, le dos appuyé au mur. Par la fenêtre, il a une vue sur les coupoles des mosquées et la vaste cour de la medersa, univers clos de mosaïque turque, de minarets turquoise, de fraîcheur et d'ombre. Un flot ininterrompu d'hôtes et de solliciteurs traverse sa chambre durant la journée. Quand le flot s'arrête, Khomeyni en profite pour aller prier ou alors il reste dans sa chambre pour se consacrer à ses pensées ou faire une sieste – chose naturelle pour un vieillard de quatre-vingts ans. Ahmed, son fils benjamin, religieux lui aussi, est le seul à avoir un accès permanent à sa chambre. Son fils aîné, l'espoir de sa vie, a péri dans des conditions mystérieuses ; selon les rumeurs il aurait été lâchement exécuté par la police secrète du shah.

La caméra balaie une place bondée de têtes collées les unes aux autres. Elle caresse des visages intrigués et graves. Sur le côté, séparées des hommes par un couloir nettement délimité, se tiennent des femmes enveloppées dans des tchadors. Il n'y a pas de soleil, il fait gris, la couleur de la foule est sombre, noire là où il y a les femmes. Comme toujours, Khomeyni est vêtu d'un large habit et coiffé d'un turban noir. Il a un visage blême et immobile, une barbe blanche. Quand il parle, ses mains s'appuient sur les accoudoirs du fauteuil, elles ne gesticulent pas. Il n'incline pas la tête ni le corps, il se tient droit comme un I. Parfois il plisse son grand front et lève les sourcils. Aucun muscle, sinon, ne bouge sur ce visage déterminé. Traits inflexibles d'un homme à l'opiniâtreté immense, à la volonté de fer, à qui tout recul, peut-être même toute hésitation, est étranger. Sur ce visage qui semble figé à jamais, immuable, insensible aux émotions et aux états d'âme et qui n'exprime rien d'autre qu'une tension et une concentration intérieures, seuls les yeux sont constamment mobiles. Son regard vif et incisif glisse sur l'océan de têtes crépues, toise la profondeur de la place, mesure son étendue tout en poursuivant son inspection méticuleuse comme s'il cherchait une personne en particulier. J'entends sa voix monocorde, plate, monotone, au rythme régulier, lent, puissant, mais sans envol, sans tempérament, sans éclat.

« De quoi parle-t-il ? » demandé-je aux joueurs de cartes au moment où Khomeyni s'interrompt pour réfléchir à la phrase suivante.

« Il dit que nous devons garder notre dignité », répond l'un d'eux.

L'opérateur effectue un panoramique sur les toits des maisons où sont postés de jeunes gens armés de pistolets-mitrailleurs, la tête enveloppée d'un foulard à damier.

« Et maintenant, que dit-il ? » demandé-je de nouveau, car je ne comprends pas un traître mot de la langue farsi dans laquelle s'exprime l'ayatollah.

« Il dit qu'il n'y a aucune place pour l'influence étrangère dans notre pays », répond l'un des joueurs.

Khomeyni poursuit son discours, tout le monde l'écoute avec attention. À l'écran, on voit une personne calmer la marmaille agglutinée autour de l'estrade.

« Qu'est-ce qu'il dit ? » demandé-je encore.

« Il dit que notre maison ne se laissera diriger par personne et que rien ne nous sera imposé. Il dit aussi : Restez des frères les uns pour les autres, restez unis. »

C'est là tout le message qu'ils peuvent me communiquer dans leur anglais gauche et indigent. Tous ceux qui apprennent l'anglais doivent savoir qu'il est de plus en plus difficile de communiquer dans cette langue sur notre planète, il en est de même pour le français ou toute autre langue européenne. Jadis, l'Europe dominait le monde en envoyant sur tous les continents ses marchands, ses soldats, ses missionnaires et ses fonctionnaires, en imposant aux autres ses intérêts et sa culture (dans une version contestable, certes). Dans le coin le plus reculé de la Terre, la connaissance d'une langue européenne relevait du bon ton, elle témoignait d'une éducation soignée et elle était souvent une nécessité vitale, une condition indispensable pour obtenir une promotion, faire carrière ou simplement être considéré comme un être humain. Ces langues étaient enseignées dans les écoles africaines, elles étaient pratiquées dans des parlements exotiques, utilisées dans le commerce et les institutions, dans les tribunaux asiatiques et les cafés arabes. L'Européen pouvait voyager dans le monde entier sans se sentir dépaysé, partout il pouvait exprimer son avis et comprendre ce qu'on lui disait. Aujourd'hui, le monde a changé, les patriotismes ont fleuri, par centaines, sur la planète, chaque peuple aspire à faire de son pays sa propriété exclusive, gouvernée selon ses traditions propres. Aujourd'hui chaque peuple manifeste des ambitions immenses, chacun est (ou, du moins, veut être) libre et indépendant, chacun revendique ses valeurs et exige qu'elles soient respectées. Tous les peuples sont devenus sensibles et susceptibles sur ce point. Même les petits et les faibles (et surtout eux) ne supportent plus qu'on leur fasse la leçon, ils s'insurgent contre ceux qui souhaiteraient les dominer et leur imposer leurs valeurs (souvent douteuses, il faut bien le reconnaître). L'homme admire la puissance d'autrui, mais à distance de préférence, et il refuse qu'elle soit expérimentée sur lui. Toute force possède sa dynamique, son autoritarisme expansionniste, son agressivité brutale et son besoin obsessionnel de domination. C'est la loi de la jungle, nul ne l'ignore. Que peut faire le plus faible ? Il n'a qu'une issue : se séparer. Dans notre monde surpeuplé et violent, le faible doit se distinguer, rester à l'écart s'il veut se protéger et se maintenir à la surface. Les hommes ont peur de se faire engloutir, dépouiller, ils craignent que leurs initiatives, leur visage, leur regard et leur langue soient uniformisés, que leurs pensées et leurs réactions soient dictées, que leur sang soit versé pour une cause étrangère et qu'ils finissent par être anéantis définitivement. D'où leur désaccord et leur révolte, leur lutte pour leur indépendance et donc pour leur langue. En Syrie, on a fermé un journal français, au Vietnam un journal anglais, et en Iran on vient de supprimer un journal français et un journal anglais. À la radio et à la télévision iraniennes, on n'utilise plus que la langue vernaculaire, le farsi. Dans les conférences de presse aussi. À Téhéran, celui qui n'est pas capable de lire l'inscription sur la vitrine d'un magasin de confection féminine : « Entrée interdite aux hommes sous peine d'arrestation » est bon pour le cachot. Dans la région d'Ispahan, celui qui n'est pas capable de lire le panneau : « Accès interdit. Zone minée » risque la mort.

Avant, je voyageais toujours avec un transistor, et où que je me trouve, je pouvais m'informer de l'actualité internationale en écoutant des stations locales. Aujourd'hui, ce petit poste, naguère si utile, ne me sert plus à rien. Quand je parcours les modulations de fréquences, je tombe sur une dizaine de stations qui émettent toutes dans une dizaine de langues différentes dont je ne comprends pas un seul mot. Mille kilomètres plus loin, une dizaine d'autres stations émettront leurs communiqués tout aussi incompréhensibles pour moi. Peut-être annoncent-elles que l'argent que j'ai en poche ne vaut plus un kopeck. Peut-être informent-elles qu'une guerre vient d'éclater.

Il en va de même avec la télévision.

Dans le monde entier, vingt-quatre heures sur vingt-quatre, sur des millions d'écrans, des foules de gens s'adressent à nous, nous persuadent, font des gestes et des grimaces, s'enflamment, rient, hochent la tête, montrent du doigt sans que nous ayons la moindre idée de ce qu'ils racontent, de ce qu'ils nous veulent, de ce qu'ils nous somment de faire. On dirait des extraterrestres, une armada de racoleurs publicitaires venus de Mars ou de Vénus. Pourtant ils sont proches de nous, ils font partie de notre espèce, sont faits de la même chair et du même sang ; comme nous ils remuent les lèvres en parlant, font entendre leur voix. Il n'empêche que nous ne comprenons rien à leur discours. Dans quelle langue se déroulera le dialogue universel de l'humanité ? Plusieurs centaines de langues se battent pour être reconnues et promues, des barrières linguistiques se dressent, l'incompréhension et la surdité ne cessent de croître.

Après une brève pause avec des champs de fleurs (ici on adore les fleurs, les tombes des plus grands poètes sont noyées sous des jardins multicolores et luxuriants), la photographie d'un jeune homme occupe l'écran, avec la voix off du commentateur.

« Que dit-il ? » demandé-je aux joueurs de cartes.

« Il donne le nom et le prénom de cette personne. Et il explique qui elle était. »

23

Puis les photos défilent les unes après les autres : photos arrachées à des cartes d'étudiants, photos encadrées, clichés de Photomaton, photos sur fond de ruines, photo de famille avec une fléchette dirigée vers une jeune fille à peine visible. Nous fixons chaque cliché en écoutant l'interminable litanie du commentateur.

Les familles lancent des avis de recherche.

Depuis des mois, elles guettent les nouvelles, contre tout espoir. Tous ces gens ont disparu en septembre, décembre, janvier, quand les combats faisaient rage, quand sur les villes flottaient de gigantesques lueurs d'incendies. Ils devaient défiler aux premiers rangs des manifestations, en plein sous le feu des mitrailleuses. Ou alors des tireurs d'élite les ont abattus du haut des toits environnants. On peut présumer que chacun de ces visages a été perçu pour la dernière fois par l'œil d'un tireur pointant sur lui son viseur.

L'émission continue, interminable cortège funèbre de visages au son de la voix neutre du présentateur.

De nouveau, un champ de fleurs suivi du journal télévisé du soir. De nouveau des photos, mais cette fois les hommes sont différents. Pour la plupart, ce sont des messieurs d'un certain âge, à l'air négligé, habillés n'importe comment (cols fripés, vestes de treillis froissées), regards désespérés, joues creuses et hirsutes. Chacun a un grand carton accroché autour du cou avec son nom et son prénom inscrits dessus. Un joueur de cartes regarde l'un de ces innombrables visages et s'écrie : « Ah ! C'est lui ! » Tous scrutent attentivement l'écran. Après avoir décliné les données personnelles de chaque sujet, le présentateur débite les crimes qu'il a commis. Le général Mohammed Zand a donné l'ordre de tirer sur des manifestants désarmés à Tabriz : des milliers de tués. Le colonel Hossein Farzin a torturé des prisonniers en leur brûlant les paupières et en leur arrachant les ongles. Il y a quelques heures, le peloton d'exécution de la milice islamique a appliqué la sentence du tribunal, poursuit le commentateur.

Cette parade de bons et mauvais absents n'en finit plus. Dans le hall de l'hôtel, l'air est d'autant plus lourd et étouffant que l'interminable roue de la mort poursuit son chemin en exposant des centaines et des centaines d'autres photos (décolorées ou encore toutes fraîches, d'étudiants ou de prisonniers). Ce cortège de visages immobiles et silencieux qui avance par saccades me déprime mais en même temps me fascine. J'ai l'impression que, d'un instant à l'autre, je vais voir à l'écran la photo de mes voisins assis à mes côtés, puis la mienne propre, et que je vais entendre le présentateur décliner nos noms et prénoms.

Je remonte à l'étage, traverse un couloir vide et m'enferme dans ma chambre encombrée. Comme d'habitude à cette heure, des coups de feu résonnent au fin fond de la ville. Les tirs sont réguliers. Chaque nuit, ils commencent plus ou moins à neuf heures, comme s'il s'agissait d'un rituel ou d'une règle établie de longue date. Puis la ville redevient silencieuse, mais peu après on entend de nouveau des coups de feu et même des explosions sourdes. Personne ne s'en émeut, personne n'y prête attention ni ne s'en inquiète (sauf les victimes, sans doute). À la mi-février, une insurrection éclata dans la ville et les entrepôts de l'armée furent pillés par la foule. Depuis, Téhéran s'est muée en poudrière. À la faveur de la nuit, rues et maisons se transforment en théâtre de drames meurtriers. Tapie pendant la journée, la vie redresse la tête la nuit. Des combattants masqués convergent vers le centre.

Ces nuits dangereuses condamnent les gens à s'enfermer chez eux à double tour. Il n'y a pas de couvre-feu, mais de minuit à l'aube, les habitants ne s'aventurent plus dans les rues de la capitale. Durant ces heures, la ville, claquemurée et paralysée, est livrée à la milice islamique ou à des combattants indépendants. Dans les deux cas, il s'agit de groupes de jeunes armés jusqu'aux dents, qui pointent leurs pistolets-mitrailleurs sur tous ceux qu'ils croisent. Ils les pressent de questions puis délibèrent entre eux. Parfois ils les arrêtent et les jettent au cachot, d'où les malheureux auront toutes les peines du monde à s'extirper. Personne ne connaît vraiment l'identité de ces miliciens, car ces formations paramilitaires n'ont ni signes distinctifs, ni uniformes, ni képis, ni ceinturons, ni insignes, ce sont simplement des civils armés auxquels on doit se soumettre si l'on tient à la vie. Avec le temps, toutefois, on commence à s'orienter et à y voir plus clair. Par exemple, cet homme élégant en costume, chemise blanche et cravate soigneusement choisie, ce monsieur distingué qui marche dans les rues avec un fusil sur l'épaule, est sûrement milicien dans un ministère ou une administration centrale. En revanche, le jeune homme au visage masqué (un collant en laine enfilé sur la tête avec des trous découpés pour les yeux et la bouche) est un fedayin qu'on n'est censé connaître ni de vue ni de nom. On ne sait pas non plus qui sont ces hommes en blouson kaki qui sillonnent la ville en trombe, les canons de leurs pistolets-mitrailleurs calés aux portières de leur voiture. Peut-être sont-ils des miliciens ? Ils peuvent aussi appartenir à des groupes de combat de l'opposition (fanatiques religieux, anarchistes, rescapés de la Savak [1]) qui foncent avec une détermination suicidaire pour commettre un acte de sabotage ou de vengeance.

Au fond, peu importe l'identité de celui qui nous tend une embuscade ou un piège (officiel ou illégal). Ces distinctions n'intéressent personne, les gens préfèrent éviter les surprises et se barricadent pour la nuit dans leur maison. Mon hôtel est également fermé (à cette heure, les bruits des coups de feu se mêlent aux grincements des jalousies qu'on baisse et aux claquements des grilles et des portes). Plus personne ne viendra, plus rien ne se passera. Je n'ai personne à qui parler, je suis seul dans ma chambre, je regarde les photos et les feuilles éparpillées sur la table, j'écoute les conversations enregistrées sur les bandes magnétiques.

1. La Savak fut le service de sécurité intérieure et le service de renseignements de l'Iran entre 1957 et 1979. Voir « Photographie (8) », p. 85 (*NdT*).

DAGUERRÉOTYPES

Cher Bon Dieu,
Mets-tu toujours des âmes justes dans des
hommes justes ?
Et t'arrive-t-il de te tromper ? Dis-moi !
                                          Cindy
              Lettres d'enfants au Bon Dieu,
                      Éditions Pax, 1978.

Photographie (1)

C'est la photo la plus ancienne que j'ai réussi à me procurer. Elle représente un soldat qui tient, de la main droite, une chaîne à laquelle est attaché un homme. Le soldat et l'homme enchaîné regardent l'objectif avec concentration, on voit que c'est un moment important pour eux. Le soldat est un homme âgé, de petite taille, le type même du paysan simple et soumis ; il est mal fagoté, son uniforme est trop grand pour lui, son pantalon tombe en accordéon sur ses pieds, son calot de guingois est retenu par ses oreilles en feuille de chou, bref, il a un air comique, il fait penser au Brave Soldat Švejk. L'homme enchaîné (visage émacié et blême, yeux enfoncés) a la tête bandée, il est manifestement blessé. Une légende sous la photo précise que le soldat est l'aïeul du shah Mohammad Reza Pahlavi (le dernier souverain d'Iran) et que l'homme blessé est le meurtrier du shah Nassereddin.

Le cliché remonte donc à l'an 1896, quand, à l'issue de quarante-neuf années de règne, Nassereddin fut assassiné par l'homme qu'on voit sur la photo. L'aïeul du Shah et le meurtrier ont l'air fatigué, et c'est normal : depuis plusieurs jours, ils marchent pour aller de Qom à Téhéran, lieu où le régicide va être exécuté sur la place publique. Ils se traînent sur une route déserte, par une chaleur torride et inhumaine, dans la touffeur d'un air incandescent, le soldat derrière l'assassin amaigri, à l'instar de ces montreurs d'ours qui jadis allaient de foire en foire pour gagner leur pain. L'aïeul et l'assassin marchent, exténués, essuyant sans cesse la sueur de leur front. De temps à autre, le criminel se plaint de sa douleur à la tête, mais en général tous deux restent silencieux, car, au fond, il n'y a rien à dire : le meurtrier a tué, l'aïeul du Shah le conduit à la mort.

À cette époque, la Perse était un pays d'une accablante misère, il n'y avait pas de chemin de fer, seule l'aristocratie possédait des voitures à cheval. Les deux hommes de la photographie sont donc contraints de voyager à pied vers une destination lointaine ordonnée par la sentence du tribunal. Parfois ils tombent sur des masures en argile contre lesquelles sont adossés des paysans décharnés et déguenillés, désœuvrés et immobiles. Mais à la vue du prisonnier et de son homme d'escorte, leurs yeux s'illuminent d'une étincelle, ils se lèvent et s'attroupent autour des visiteurs couverts de poussière. « Qui escortez-vous, monsieur ? » demandent-ils timidement au soldat. « Qui ? »

répète le soldat qui garde un long silence pour faire sensation et accentuer le suspense. « C'est l'assassin du shah ! » finit-il par lâcher en montrant le prisonnier. La voix de l'aïeul trahit un soupçon d'orgueil. Les paysans contemplent le meurtrier avec un mélange d'horreur et d'admiration. Pour avoir tué un homme aussi important, l'homme enchaîné leur paraît digne de respect, son crime le hausse, en quelque sorte, dans le monde des grands. Ils ne savent pas s'ils doivent hurler d'indignation ou se prosterner à ses genoux. Le soldat attache la chaîne à un piquet planté au bord du chemin, il se débarrasse de son fusil qu'il tenait en bandoulière (son arme est si longue qu'elle touche presque le sol) et donne aux paysans des ordres : qu'on apporte de l'eau et de la nourriture ! Les paysans se grattent la tête, car dans le village il n'y a rien à manger, c'est la famine. N'oublions pas que le soldat est un paysan comme eux, comme eux il n'a pas de nom et il se fait appeler du nom de son village : Savad-Kuhi. En revanche, il porte un uniforme et un fusil, et le fait de mener à son lieu d'exécution le meurtrier du shah le place au-dessus des mortels. Exploitant cette position de force, il donne de nouveau l'ordre aux paysans d'apporter de l'eau et de la nourriture, car la faim lui tord les boyaux. De plus, il n'a pas le droit de laisser mourir de soif et d'épuisement l'homme enchaîné, car cela reviendrait à annuler un spectacle unique : la pendaison du meurtrier du shah en personne sur une place bondée de Téhéran. Terrorisés et houspillés avec brutalité par le soldat, les paysans finissent par apporter le peu qu'ils possèdent et dont eux-mêmes se nourrissent : des radicules flétries arrachées à la terre et un sac de toile qui contient des sauterelles séchées. L'aïeul et l'assassin s'assoient à l'ombre pour manger, ils dévorent avec appétit les locustes croustillantes en recrachant les ailes, boivent quelques gorgées d'eau sous le regard silencieux et jaloux des paysans. À la tombée de la nuit, le soldat choisit la meilleure masure, en expulse le propriétaire et la transforme en maison d'arrêt provisoire. Afin que le criminel ne lui échappe pas, il enroule la chaîne autour de son propre corps. Tous deux s'allongent sur le sol en argile, noir de cafards, et, fourbus par cette journée torride et exténuante, ils sombrent dans un profond sommeil. De bon matin, ils se lèveront et se remettront en route vers la destination fixée par la sentence du tribunal, vers le nord, vers Téhéran, à travers le même désert, par la même chaleur vacillante, toujours dans le même ordre : devant, le meurtrier à la tête bandée ; derrière lui, le balancier de la chaîne ; en queue, le soldat-convoyeur mal fagoté, comique avec son calot de guingois retenu par ses oreilles en feuille de chou. Le portrait craché du Brave Soldat Švejk.

PHOTOGRAPHIE (2)

Cette photo représente un officier de la Brigade cosaque persane, debout à côté d'une mitrailleuse lourde et expliquant à ses hommes le fonctionnement de cette arme meurtrière. Comme il s'agit du modèle Maxim 1910, le cliché doit également dater de cette année. Le jeune officier (né en 1878) s'appelle Reza Khan. C'est le fils du soldat-convoyeur que nous avons rencontré quelques années auparavant dans le désert tandis qu'il promenait au bout d'une chaîne le meurtrier du shah Nassereddin. En comparant les deux photos, on remarque tout de suite qu'à la différence de son père Reza Khan est un géant. Il dépasse ses hommes d'une tête au moins, a une cage thoracique développée et ressemble à ces athlètes de foire capables de briser un fer à cheval. Allure martiale, regard glacial, mâchoire puissante et contractée, pas l'ombre d'un sourire. Il est coiffé d'une toque en astrakan noir, car, comme je viens de le dire, il est officier de la Brigade cosaque persane (l'unique armée que possède alors le shah), commandée par le colonel tsariste de Saint-Pétersbourg, Vladimir Liakhov. Reza Khan est le favori du colonel Liakhov qui aime les soldats de métier. Or, notre jeune officier en est le type même. Quand il a intégré la brigade, c'était un adolescent de quatorze ans, analphabète (il ne saura d'ailleurs jamais lire ni écrire), et grâce à sa docilité, son esprit de discipline, sa détermination, son intelligence innée, et grâce aussi à son « instinct de chef », pour reprendre une expression militaire, il grimpe petit à petit les échelons de la hiérarchie. Mais les grandes promotions ne commencent à tomber qu'après 1917, quand le shah, qui suspecte Liakhov de sympathies bolcheviques (à tort, du reste), le licencie et le renvoie en Russie. Reza Khan est alors promu colonel et commandant de la Brigade cosaque qui se trouve être protégée des Anglais. Lors d'une réception, le général britannique Sir Edmund Ironside se dresse sur la pointe des pieds pour chuchoter à l'oreille de Reza Khan : « Colonel, vous avez d'immenses possibilités ! » Tous deux sortent se promener dans le jardin où le général suggère à Reza Khan de faire un coup d'État en lui garantissant la bénédiction de Londres. En février 1921, Reza Khan pénètre dans Téhéran à la tête de sa brigade, arrête les hommes politiques (c'est l'hiver, il neige, les prisonniers se plaignent du froid et de l'humidité des cachots), puis il forme un nouveau gouvernement dont il devient le ministre de la Guerre, puis le Premier ministre. En décembre 1925, la docile Assemblée constituante (qui tremble devant le colonel et les Anglais qui le soutiennent) proclame le commandant cosaque shah de Perse. Dès lors, le jeune officier de la photo, qui explique à ses hommes (tous portent la blouse et la toque cosaques) le fonctionnement de la mitrailleuse Maxim 1910, se fera nommer « Grand Reza Shah », « Roi des Rois », « Ombre du Tout-Puissant », « Envoyé de Dieu », « Centre de l'Univers ». Il est aussi le fondateur de la dynastie Pahlavi qui, selon la sentence du destin, se terminera un demi-siècle plus tard avec son fils, lequel par une matinée aussi glaciale que celle où son père conquit la capitale et le trône, quittera le palais et Téhéran pour s'envoler vers une destination inconnue.

On comprend beaucoup de choses en regardant attentivement une photo du père et du fils datant de 1926. Sur ce cliché, le père a quarante-huit ans, le fils sept. Le contraste est frappant à maints égards : la silhouette puissante, virile, du shah, le père, l'air sombre, péremptoire, les mains sur les hanches, et à côté, lui arrivant juste à la ceinture, la silhouette chétive, minuscule du fils au garde-à-vous, pâle, crispé, docile. Tous deux portent le même uniforme et le même calot, les mêmes chaussures, les mêmes ceintures et le même nombre de boutons : quatorze, pour être précis. La similitude vestimentaire est une idée du père qui veut que son fils, au caractère indécis, lui ressemble dans les moindres détails. Le fils est sensible aux intentions paternelles, et bien qu'il soit faible, instable et complexé, il fera de son mieux pour imiter la nature intransigeante et despotique de son père. Dès lors, deux personnalités vont se développer et coexister dans l'enfant : la sienne et celle qu'il copie, celle qui est innée et celle qui appartient à son père et dont il va tenter de se doter au prix d'efforts surhumains. Il finira par être tellement dominé par la personnalité de son père que lorsqu'il s'installera sur le trône, des années plus tard, il reproduira instinctivement (parfois de manière consciente) les comportements paternels, et notamment son puissant autoritarisme quand son pouvoir personnel commencera à décliner. Pour l'instant, toutefois, le père inaugure son règne avec toute l'énergie et toute l'impétuosité qui lui sont naturelles. Il se fait une haute idée de sa mission et sait où il veut aller (pour le dire dans son langage brutal : il veut forcer la populace à trimer pour construire un État fort et moderne devant lequel le monde entier tremblera). Il gouverne à la prussienne, d'une main de fer, utilise des méthodes de garde-chiourme. L'Iran – sur son ordre, la Perse prend désormais le nom d'Iran –, qui est à l'époque un pays retardé, endormi, ralenti, tremble jusque dans ses fondations. Il commence par créer une armée puissante. Cent cinquante mille hommes sont équipés de fusils et d'uniformes. Reza Khan tient à son armée comme à la prunelle de ses yeux, c'est sa grande passion. L'armée doit toujours avoir de l'argent, elle ne doit manquer de rien. L'armée engagera le peuple dans la modernité, la discipline et l'obéissance. Tout le monde doit se tenir au garde-à-vous ! Reza Khan interdit le port de l'habit traditionnel. Tous les hommes doivent revêtir le costume européen ! Il interdit le port du bonnet iranien. Tout le monde doit se mettre au chapeau européen ! Il interdit le port du tchador. Dans les rues, la police l'arrache aux femmes épouvantées. Dans les mosquées de Meshed, les fidèles protestent contre ces pratiques. Il envoie l'artillerie détruire les mosquées et massacrer les rebelles. Reza Khan ordonne la sédentarisation des tribus nomades. Les nomades protestent. Il fait empoisonner leurs puits, les condamne à mourir de faim. Les nomades continuent de protester. Il envoie contre eux des expéditions punitives qui ravagent leurs terres. Les routes iraniennes saignent à flots. Reza Khan interdit de photographier les chameaux car, déclare-t-il, le chameau est un animal rétrograde. À Qom, un mollah prononce des discours critiques. Reza Khan entre dans la mosquée et passe lui-même à tabac le religieux subversif. Il met à l'ombre, pendant des années, le grand ayatollah Madresi qui a osé élever la voix contre lui. Les libéraux protestent timidement dans la presse. Il ferme les journaux, emprisonne les récalcitrants. Certains d'entre eux sont emmurés dans des tours. Ceux qu'il suspecte de dénigrement doivent se présenter tous les jours à la police. Même les grandes dames de l'aristocratie s'évanouissent de peur lors des réceptions quand le géant ombrageux et inaccessible les toise de son œil sévère. Jusqu'à la fin, Reza Khan conserve de nombreux réflexes de son enfance campagnarde et de sa jeunesse de caserne. Il habite dans un palais, mais continue de dormir à même le sol, ne quitte jamais l'uniforme, mange dans une gamelle comme ses soldats. C'est un homme du peuple ! En même temps, il entretient une relation cupide à la terre et l'argent. Profitant de son pouvoir, il amasse une fortune colossale. Il devient le plus grand seigneur du pays : il est propriétaire de près de trois mille villages et de deux cent cinquante mille paysans, il possède des actions dans les usines et dans les banques, il lève des tributs, compte et recompte ses sous, accroît sans cesse son patrimoine.

Il suffit que son œil insatiable jette son dévolu sur une jolie forêt, une vallée verdoyante, une plantation fertile pour que cette forêt, cette vallée, cette plantation deviennent siennes. Il agrandit sans cesse ses domaines, il entasse et multiplie une fortune mirifique. Nul n'est autorisé à approcher la limite des terres royales. Un jour a lieu une exécution publique : sur ordre du shah, un peloton fusille un âne ayant par mégarde empiété sur un pré lui appartenant. Les paysans des environs sont rabattus sur le lieu du châtiment afin d'apprendre à respecter la propriété du roi. Malgré tout, sa cruauté, sa cupidité et ses excentricités, le shah père a un mérite : il sauve l'Iran de la désintégration qui menace le pays au lendemain de la Première Guerre mondiale. Par ailleurs, il tente de moderniser sa patrie en construisant des routes et des voies ferrées, des écoles et des administrations, des aéroports et des quartiers nouveaux dans les villes. Le peuple reste toutefois pauvre et apathique, et lorsque Reza Khan sera écarté du pouvoir, la population en liesse fêtera longuement l'événement.

PHOTOGRAPHIE (4)

Cliché célèbre qui, en son temps, a fait le tour du monde : Staline, Roosevelt et Churchill assis dans des fauteuils sur une spacieuse véranda. Staline et

Churchill sont en uniforme, Roosevelt en costume sombre. Téhéran, un matin de décembre ensoleillé de 1943. Sur la photo, les trois hommes ont l'air serein, ce qui est rassurant, car on sait que la pire guerre de l'histoire est en train de se dérouler. L'expression de leurs visages est donc fondamentale : elle est censée remonter le moral des troupes. Une fois que les photo-reporters ont terminé leur travail, l'illustre « troïka » s'éclipse dans le hall pour un bref entretien privé. Roosevelt demande à Churchill ce qu'il est advenu du souverain du pays, le shah Reza (« pour autant que je prononce son nom correctement », ajoute Roosevelt). Churchill hausse les épaules, parle à contrecœur. Admirant Hitler, le shah s'était entouré d'hommes du Führer. L'Iran grouillait d'Allemands, au palais, dans les ministères, dans l'armée. À Téhéran, l'Abwehr (le service de renseignement de l'état-major allemand) était devenu un centre de pouvoir incontournable. Le shah était favorable à cette alliance parce que Hitler menait une guerre contre l'Angleterre et la Russie. Or le monarque ne pouvait souffrir ni l'Angleterre ni la Russie, il se frottait donc les mains en voyant progres-ser les armées du Führer. Londres s'inquiétait pour le pétrole iranien, combustible de la flotte britannique, et Moscou craignait que les Allemands ne débarquent en Iran et attaquent la région de la mer Caspienne. Mais la préoccupation majeure demeurait le chemin de fer transiranien dont les Américains et les Anglais comptaient se servir pour le transport d'armes et de vivres destinés à Staline. Le shah opposa son veto à l'usage de cette voie ferrée alors que le moment était dramatique : les divisions allemandes s'enfonçaient de plus en plus à l'est.

C'est dans ce contexte que les Alliés décident de prendre le taureau par les cornes : en août 1941, l'armée britannique et l'Armée rouge pénètrent en Iran. Quinze divisions iraniennes se rendent sans grande résistance. Incrédule, le shah vit la situation comme une humiliation et une défaite personnelles. Une partie de ses troupes rentre à la maison, une autre est enfermée dans des casernes par les Alliés. Privé de ses soldats, le shah ne compte plus, n'existe plus. Les Anglais, qui respectent même les monarques qui les ont trahis, accordent au shah une sortie honorable : que Son Altesse abdique en faveur de son fils, l'héritier du trône. « Nous avons une bonne opinion de lui et lui assurons notre soutien. Mais que Son Altesse n'imagine pas qu'une autre issue soit possible ! » Le shah obtempère et, en septembre de la même année, son fils Mohammad Reza Pahlavi monte sur le trône à l'âge de vingt-deux ans. Le shah père devient une personne privée et pour la première fois de sa vie endosse un costume civil. Les Anglais l'embarquent sur un navire à destination de Johannesburg (où trois ans plus tard, il mourra d'ennui en dépit d'une vie confortable et banale). « *We brought him, we took him* », conclut brièvement Churchill (« Nous l'avons mis en place et nous l'avons destitué »).

NOTE (1)

Je m'aperçois qu'il me manque des photos, je suis incapable de les retrouver. Il me manque la photo du dernier shah d'Iran quand il était tout jeune. Il me manque une photo de 1939 où, élève officier âgé de vingt ans, il est nommé général par son père. Il me manque la photo de sa première épouse, Fawzia, prenant un bain de lait. Car il faut savoir que Fawzia, sœur du roi Farouk et jeune femme d'une grande beauté, prenait des bains de lait, mais la princesse Ashraf, la sœur jumelle du shah fils – son mauvais génie, selon les rumeurs –, versa de la poudre détergente dans sa baignoire, ce qui provoqua un scandale de plus au palais royal. En revanche, j'ai retrouvé une photo datée du 16 septembre 1941, jour où le dernier shah d'Iran monte sur le trône laissé vacant par son père, sous le nom de Mohammad Reza Pahlavi. Debout dans la salle du Parlement, mince, en uniforme d'apparat, sabre au clair, il lit le texte de son serment noté sur une feuille de papier. Ce cliché a été reproduit dans tous les ouvrages consacrés au shah et publiés par dizaines, voire par centaines. Le shah adorait lire et regarder les livres et les albums édités en son honneur. Il adorait inaugurer ses monuments et ses portraits. Il n'y avait aucun problème pour voir l'image du shah. Il suffisait de s'arrêter n'importe où et d'ouvrir les yeux : le shah était omniprésent. Comme il était plutôt petit de taille, les photographes devaient placer l'objectif de manière à ce qu'il soit le plus grand sur la photo. Les chaussures à talonnettes qu'il portait contribuaient aussi à ce leurre. Ses sujets lui baisaient les pieds – j'ai sous les yeux une photo où des hommes prosternés lui baisent les pieds. Mais je n'ai pas de photo de son uniforme de l'an 1949 : troué d'impacts de balles et couvert de sang, il a été exposé, dans une vitrine, au club des officiers de Téhéran, comme une relique. Le shah le portait au moment où il fut grièvement blessé par un jeune homme déguisé en reporter qui déchargea sur le monarque son pistolet camouflé dans son appareil photo. On estime que le shah a été victime de cinq attentats au cours de son existence. Ce climat de méfiance explique pourquoi le shah se déplaçait entouré d'une cohorte de policiers. Les Iraniens voyaient d'un mauvais œil que le shah organise des manifestations exclusivement réservées aux personnalités étrangères pour des raisons de sécurité. Ses compatriotes disaient aussi avec amertume que le shah ne se déplaçait dans son pays qu'en avion ou en hélicoptère, qu'il ne voyait son État qu'en le survolant, d'un point de vue confortable où les contrastes sont gommés. Je n'ai aucune photo de Khomeyni avant son accession au pouvoir. Khomeyni apparaît dans ma collection directement sous l'aspect d'un vieillard, comme s'il n'avait connu ni la jeunesse ni l'âge adulte. Ici, les fanatiques croient que Khomeyni est le fameux Douzième Imam, celui qu'on attend, celui qui, disparu au IXe siècle, est censé revenir au bout de mille ans pour sauver le peuple de la misère et des persécutions. C'est paradoxal, mais le fait que, sur les photos, Khomeyni apparaisse d'emblée sous l'aspect d'un homme très âgé semble accréditer cette chimère.

PHOTOGRAPHIE (5)

On peut penser que c'est le plus grand jour de la longue vie du docteur Mossadegh. Porté à bout de bras par une foule en liesse, le docteur quitte le Parlement. Tout sourire, il agite la main droite, salue les gens. Trois jours auparavant, le 28 avril 1951, il a été nommé Premier ministre, et aujourd'hui le Parlement vient de voter son projet de nationalisation du pétrole. Le plus grand trésor de l'Iran est devenu la propriété du peuple. Il faut se mettre dans l'atmosphère de l'époque, car le monde a bien changé depuis. En ce temps-là, l'acte de Mossadegh fait l'effet d'une bombe larguée à l'improviste sur Londres ou Washington. L'impact psychologique est le même : choc, peur, colère, indignation. Au bout du monde, au fin fond de l'Iran, un vieil avocat démagogue et irresponsable a osé toucher à la compagnie pétrolière Anglo-Iranian Oil Company, le pilier de notre empire ! C'est inouï, inadmissible, impardonnable ! La propriété coloniale était en effet une valeur sacrée, le tabou suprême. Sur la photographie, les visages reflètent tous l'ambiance exaltée de ce jour historique. Les Iraniens ignorent encore qu'ils ont commis un crime de lèse-majesté et qu'ils devront en payer le prix fort et douloureux. Pour le moment, toutefois, Téhéran, en plein délire, savoure ce jour immense où le pays se libère de son passé étranger et honni. Le pétrole est notre sang ! scandent les foules en folie. Le pétrole est notre liberté ! Le climat de la ville se propage même jusqu'au palais où le shah paraphe l'acte de nationalisation. C'est un moment de fraternisation générale, un instant précieux qui deviendra vite un souvenir, car l'entente dans la famille nationale ne fera pas long feu. Les rapports entre Mossadegh et les deux shahs Pahlavi (père et fils) n'ont jamais été bons. Mossadegh est un homme de culture française, un libéral et un démocrate, il croit dans des institutions telles que le Parlement et la presse libre, déplore l'état de dépendance dans lequel se trouve sa patrie. Déjà, pendant la Première Guerre mondiale, à son retour d'Europe où il a terminé ses études, il devient député du Parlement dont il utilise la tribune pour se lancer dans la lutte contre la corruption, la servilité, la cruauté du pouvoir, la vénalité des élites. Quand Reza Khan fait son coup d'État et ceint la couronne, Mossadegh s'oppose violemment au nouveau shah qu'il considère comme un imposteur et un usurpateur. En signe de protestation il démissionne du Parlement puis se retire de la vie publique. La chute de Reza Khan offre à Mossadegh et à ses partisans une occasion inouïe. À cette époque, le shah junior est un homme qui s'intéresse plus aux divertissements et au sport qu'à la politique. L'occasion semble donc favorable pour créer en Iran une démocratie et conquérir une indépendance totale pour le pays. Le crédit de Mossadegh est tellement immense, ses slogans si populaires que le shah se trouve *de facto* écarté. Il joue au foot, vole dans son avion privé, organise des bals masqués, divorce et se remarie, va en Suisse faire du ski. [Le shah n'a jamais été une personnalité populaire et le cercle avec lequel il fraie est réduit. Il compte maintenant surtout des militaires, le soutien du palais : de vieux officiers nostalgiques du prestige et de la force de l'armée au temps où elle dépendait de Reza Khan et de jeunes officiers avec lesquels le nouveau shah s'est lié à l'école militaire. Les uns comme les autres sont scandalisés par les idées démocratiques de Mossadegh et par le pouvoir de la rue qu'il a contribué à instaurer. Mais aux côtés de Mossadegh se tient une figure qui jouit d'un prestige immense : l'ayatollah Kashani. Le vieux docteur a derrière lui le peuple tout entier.]

PHOTOGRAPHIE (6)

Le shah et sa nouvelle épouse Soraya Esfandiari à Rome. Il ne s'agit pas de leur lune de miel, d'une escapade joyeuse et insouciante loin des soucis et de la routine quotidienne. Non, le jeune couple vient de fuir son pays. Même sur cette photo où il prend des grands airs, le shah, alors âgé de trente-quatre ans (jeune, bronzé, vêtu d'un costume croisé de couleur claire), ne parvient pas à dissimuler sa nervosité. Ce n'est pas étonnant, car son destin est en train de se jouer. Il ne sait s'il retrouvera le trône qu'il a abandonné dans la précipitation ou s'il passera le restant de ses jours à vagabonder de par le monde comme un migrant. Soraya, femme d'une beauté exceptionnelle mais glaciale, fille d'un chef tribal bakhtiari et d'une Allemande installée en Iran, se maîtrise davantage, son visage est indéchiffrable (il est vrai que ses yeux sont protégés par des lunettes de soleil). La veille, le 17 août 1953, tous deux sont arrivés d'Iran à Rome dans l'avion personnel du shah (piloté par lui-même, activité qui l'a toujours détendu) et ils sont descendus à l'hôtel de luxe Excelsior où se bousculent des dizaines de paparazzi guettant les moindres faits et gestes du couple impérial. En cette période estivale, Rome est une ville grouillant de touristes, les plages italiennes sont bondées (c'est la mode du bikini). L'Europe se repose, prend du bon temps, visite les monuments, fréquente de bons restaurants, arpente les montagnes, plante des tentes, prend des forces et se refait une santé en prévision de la fraîcheur automnale et des neiges hivernales. Téhéran, toutefois, ne connaît ni trêve ni repos, personne ne songe à s'y relaxer, car la capitale sent le soufre et résonne du cliquetis des couteaux qu'on affûte. Il va se passer quelque chose, c'est sûr. Tout le monde le dit, tout le monde sent la pression dense et écrasante de l'air, signe annonciateur d'une explosion imminente. Seuls une poignée de conspirateurs savent par qui et comment elle sera déclenchée. Les deux années de pouvoir du docteur Mossadegh arrivent à leur terme. Constamment menacé d'un coup d'État (démocrates, libéraux, hommes du shah, fanatiques islamistes, tous conspirent contre lui), le docteur a déménagé au Parlement avec son lit, une valise de pyjamas (c'est la tenue dans laquelle il a l'habitude d'exercer ses fonctions) et un sac bourré de médicaments. Il croit y être plus en sécurité. C'est là qu'il vit et de là qu'il gouverne sans jamais sortir, déprimé à tel point que, d'après certains témoignages, il a en permanence les larmes aux yeux. Tous ses espoirs ont été déçus, ses prévisions se sont révélées fausses. Il a expulsé les Anglais des champs pétroliers en déclarant que toute nation a le droit d'exploiter ses propres ressources, mais il a oublié que la force prime sur le droit. L'Ouest a instauré un blocus contre l'Iran et boycotte son pétrole devenu un fruit défendu sur les marchés internationaux. [Mossadegh escomptait que, dans son conflit contre l'Angleterre, les Américains lui donneraient raison et l'aideraient. Mais les Américains ne lui ont pas tendu la main. L'Iran, qui, à part le pétrole, n'a pas grand-chose à vendre, se retrouve alors au bord de la faillite. Le docteur écrit lettre sur lettre à Eisenhower, il en appelle à la conscience et à la raison du chef d'État américain, mais ses lettres demeurent sans réponse. Eisenhower le suspecte de communisme bien que Mossadegh soit un patriote indépendant et un ennemi juré des communistes. Personne ne veut écouter ses explications car, aux yeux des puissants de ce monde, les patriotes des pays faibles sont des gens suspects. Eisenhower est en pourparlers avec le shah, il compte sur lui, mais le shah est boycotté dans son propre pays. Depuis longtemps, il ne sort plus de son palais, il est effrayé et dépressif, il a peur que la rue, déchaînée et houleuse, ne le prive de son trône, il dit à ses intimes : « Tout est perdu ! Tout est perdu ! »]. Il hésite, il ne sait pas s'il doit écouter les officiers proches du palais qui lui conseillent de déposer Mossadegh pour sauver la monarchie et l'armée (en licenciant vingt-cinq généraux qu'il a accusés d'avoir trahi la patrie et la démocratie, Mossadegh s'est mis à dos les officiers supérieurs). Le shah hésite longuement à franchir le pas décisif qui brûlera définitivement les ponts déjà fragiles qui le lient au Premier ministre (tous deux sont empêtrés dans une lutte qui ne peut se résoudre à l'amiable, car il s'agit d'un conflit entre le pouvoir absolu, représenté par le shah, et la démocratie, prônée par Mossadegh). Les tergiversations du shah s'expliquent peut-être par le respect qu'il éprouve à l'égard du docteur. Il se peut aussi que le shah manque tout simplement de courage pour lui déclarer la guerre, il n'est pas sûr de lui et n'a pas la volonté de mener une action sans compromission. Sans doute souhaiterait-il que cette opération douloureuse et brutale soit effectuée par un autre. Toujours indécis et constamment irrité, il quitte Téhéran pour Ramsar, sa résidence d'été sur les bords de la mer Caspienne, où il finit par désavouer son Premier ministre. Mais cette première tentative de régler ses comptes avec le docteur est ébruitée et se solde par un échec pour le palais. Alors, sans attendre la suite des événements (qui lui sont, en l'occurrence, favorables), le shah fuit avec sa jeune épouse à Rome.

Photographie (7)

Une photographie découpée dans un journal avec négligence, il manque même la signature. Elle représente un monument : un cavalier érigé sur un haut socle en granit, dans un square. De stature herculéenne, le cavalier est confortablement installé dans sa selle, la main gauche collée à un arçon, la main droite pointée vers un objectif lointain (l'avenir, probablement). Une corde entoure le cou du cavalier, une autre enserre l'encolure du coursier. Au pied du monument, une équipe d'hommes tire sur les deux cordes. L'action se déroule sur une place noire de monde où tous suivent attentivement le travail des hommes tentant de vaincre la résistance du lourd bloc de bronze. La photographie a été prise au moment où les cordes sont tendues comme celles d'un instrument de musique et où le cavalier et son cheval, inclinés, sont sur le point de s'écrouler au sol. On ne peut s'empêcher de se demander si les hommes qui tirent les cordes avec tant d'ardeur et d'abnégation auront le temps de sauter sur le côté, d'autant plus qu'ils ont peu de place, car le square est assailli par une foule de badauds. La photographie montre le déboulonnage d'un monument de l'un des deux shahs (le père ou le fils), à Téhéran ou dans une autre ville iranienne. Il est difficile de déterminer la date à laquelle cette photo a été prise, car les monuments des deux shahs Pahlavi ont subi moult destructions. Chaque fois que le peuple a eu l'occasion de les déboulonner, il l'a fait. Cette fois aussi, dès qu'ils ont appris que le shah avait disparu du palais et s'était réfugié à Rome, les Iraniens se sont précipités dans les rues pour déboulonner les monuments de la dynastie.

JOURNAL (1)

Interview d'un déboulonneur du shah par un journaliste du quotidien *Kayhan* de Téhéran :

« Golam, dans votre quartier, vous vous êtes forgé une réputation de démolisseur de statues. On vous considère même comme un expert en la matière.

— C'est exact. La première fois que j'ai détruit un monument du shah senior, c'était en 1941, quand le père de Mohammad Reza a abdiqué. Je me souviens que la nouvelle de son départ a provoqué une allégresse dans la ville. Tout le monde s'est spontanément précipité pour déboulonner ses statues. Enfant, à l'époque, j'ai aidé mon père et des voisins à détruire les monuments que Reza Khan s'était fait ériger dans notre quartier. Cette expérience a été mon baptême du feu en quelque sorte.

— Avez-vous été poursuivi pour cet acte ?

— À l'époque, on nous laissait tranquilles. Après le départ du shah senior, nous avons connu quelques années de liberté. Le shah junior n'était pas assez fort pour imposer son pouvoir. Qui aurait pu nous poursuivre ? Tout le monde était contre la monarchie. Le jeune shah n'était soutenu que par une poignée d'officiers, et par les Américains, évidemment. Puis ils ont fait leur coup d'État, coffré Mossadegh, fusillé ses hommes et, dans la foulée, les communistes. Le shah est revenu et a instauré la dictature. C'était en 1953.

— Vous rappelez-vous l'année 1953 ?

— Et comment ! C'est une année cruciale, elle marque la fin de la démocratie et le début du régime de Mohammad Reza. En tout cas, je me rappelle qu'on a appris la fuite du shah en Europe par la radio. À cette nouvelle, les gens se sont rués dans les rues et se sont mis à détruire les monuments. Il faut savoir que dès le début de son règne le shah fils avait fait ériger des statues en son honneur et en l'honneur de son père. Il y avait donc matière à déboulonner. À l'époque, mon père ne vivait plus et moi j'étais devenu adulte. J'ai commencé à détruire pour mon propre compte, si je puis dire.

— Vous voulez dire que vous détruisiez tous ses monuments ?

— Oui, je travaillais sans relâche. Quand le shah est revenu après le coup d'État, il n'y avait plus un seul monument des Pahlavi. Mais il s'est aussitôt remis à ériger des statues en l'honneur de son père et de lui-même.

— Cela signifie que ce que vous détruisiez, il le faisait aussitôt reconstruire, puis ce que qu'il avait fait reconstruire, vous le détruisiez, et ainsi de suite ?

— Oui, c'était effectivement ainsi que cela se passait. Nous en avions les bras qui tombaient, certes. Nous en démolissions un, il s'en reconstruisait trois ; nous en détruisions trois, il s'en rebâtissait dix. C'était une histoire sans fin.

— Et après 1953, quand avez-vous repris vos destructions ?

— Nous avions l'intention de nous y remettre en 1963, pendant l'insurrection qui a éclaté quand Khomeyni a été mis en prison. Mais le shah a lancé une telle répression que nous n'avons rien pu détruire et nous avons dû cacher, de nouveau, nos cordages.

— Dois-je comprendre que vous aviez des cordes spéciales pour vos opérations ?

— Et comment ! Nous avions de grosses cordes en sisal que nous cachions chez un cordier du bazar. Ce n'était pas de la plaisanterie. Si la police retrouvait notre trace, nous étions bons pour le peloton d'exécution.

Tout le matériel était prêt pour le jour J, tout était prévu, calculé, répété. Malheureusement la révolution de 79 a suscité des vocations et de nombreux amateurs se sont lancés dans le déboulonnage. Il y a eu beaucoup d'accidents. Ils se faisaient écraser par les monuments. Le déboulonnage n'est pas une opération facile, il y a tout un savoir-faire. Il faut connaître le matériau du monument, son poids, sa hauteur, il faut savoir s'il a été soudé ou cimenté, où accrocher la corde, dans quelle direction faire chanceler la statue et comment la détruire ensuite. Nous préparions le terrain pendant qu'on édifiait un monument, nous en profitions pour espionner le travail : s'agissait-il d'une statue vide ou pleine ? Et surtout, comment était-elle fixée au socle ? Quel moyen utilisait-on pour arrimer le monument ?

— Vous deviez y consacrer beaucoup de temps ?

— Un temps fou ! Il faut savoir qu'au cours des dernières années de son règne, Mohammad Reza faisait ériger de plus en plus de monuments. Partout, sur les places, dans les rues, dans les gares, sur le bord des routes. Il n'était d'ailleurs pas le seul à en faire construire. Ceux qui voulaient décrocher un bon contrat et devancer des concurrents s'empressaient de lui en édifier un. On comprend pourquoi les monuments étaient souvent de mauvaise qualité. Le moment venu, nous n'avions aucun mal à les détruire. Mais j'avoue qu'au bout d'un certain temps je me suis demandé si nous serions capables de les détruire tous. Ils se comptaient, en effet, par centaines. Et nous travaillions sans ménager notre peine. Mes mains étaient marquées d'entailles profondes, elles étaient couvertes d'ampoules.

— Golam, on peut dire que vous avez eu de la chance, vous avez fait un travail intéressant.

— Ce n'était pas un travail, mais un devoir. Je suis fier d'avoir été "déboulonneur" du shah. Je pense que tous ceux qui ont pris part à la destruction des monuments sont fiers eux aussi. Tout le monde peut voir ce que nous avons fait, les socles sont nus et les statues des shahs en morceaux. Ou alors elles gisent dans les cours. »

Livre (1)

[Les journalistes David Wise et Thomas B. Ross écrivent dans leur livre *The Invisible Government* (Londres, 1965) [1] :

« Une chose est sûre : le coup d'État qui a abouti au renversement du Premier ministre Mohammad Mossadegh et maintenu le shah Mohammad Reza Pahlavi sur le trône a été organisé et dirigé par la CIA. Peu d'Américains savent, en revanche, qu'à la tête du coup d'État se trouvait un agent de la CIA qui n'était autre que Kermit Roosevelt, le neveu du président

1. Édition française : *Le Gouvernement secret des USA*, Cercle du nouveau livre d'histoire, 1965 (*NdT*).

Theodore Roosevelt. L'opération que cet homme supervisa à Téhéran fut si spectaculaire qu'on continua de l'appeler Mister Iran pendant de nombreuses années dans le milieu de la CIA. Dans les cercles de la même agence circulait une autre légende selon laquelle Kermit aurait dirigé le coup d'État contre Mossadegh en collant un pistolet sur la tempe du pilote d'un char au moment où les colonnes blindées pénétraient dans la ville de Téhéran. Selon un autre agent qui connaissait bien l'affaire, ce récit est "un brin romantique". "Kermit aurait dirigé l'ensemble des opérations non pas à partir de notre ambassade mais d'une cave située au cœur de Téhéran", affirmait-il en ajoutant : "Ce fut un véritable coup à la James Bond". »

Le général Fazollah Zahedi, pressenti par la CIA pour remplacer Mossadegh, était lui aussi un personnage digne d'un roman d'espionnage. C'était un bel homme, un coureur de jupons qui lutta contre les bolcheviks, fut ensuite enlevé par les Kurdes et en 1942 arrêté par les Anglais qui le suspectaient d'être un agent de Hitler. Pendant la Seconde Guerre mondiale, les Anglais et les Russes occupaient ensemble l'Iran. Les agents britanniques qui avaient enfermé Zahedi affirmaient avoir trouvé dans sa chambre à coucher les objets suivants : une collection d'armes automatiques allemandes, de la lingerie féminine en soie, de l'opium, des lettres de parachutistes allemands opérant dans les montagnes et un registre des prostituées les plus affriolantes de Téhéran.

Après la guerre, Zahedi revint rapidement à la vie publique. Il fut ministre de l'Intérieur quand Mossadegh devint Premier ministre en 1951. Mossadegh nationalisa l'Anglo-Iranian Oil Company et fit occuper la grande raffinerie d'Abadan dans le golfe Persique.

Mossadegh tolérait le Tudeh, le parti communiste iranien, ce qui faisait craindre à Londres et à Washington que les Russes ne prennent possession des immenses ressources pétrolières iraniennes. Mossadegh, qui dirigeait le pays allongé sur son lit (il prétendait être gravement malade), rompit avec Zahedi, car ce dernier était opposé à toute indulgence à l'égard des communistes. Telle était la situation quand la CIA et Kermit Roosevelt se mirent d'accord pour destituer Mossadegh et mettre à sa place Zahedi.

La décision de renverser Mossadegh fut prise conjointement par le gouvernement britannique et le gouvernement américain. Selon la CIA, l'opération devait réussir, car les conditions étaient favorables. Âgé à l'époque de trente-sept ans mais déjà expert en renseignement, Kermit Roosevelt se rendit en Iran clandestinement. Il passa la frontière en voiture et, une fois arrivé à Téhéran, disparut de la circulation. Il était obligé de se cacher car, en raison de ses nombreux séjours en Iran, son visage y était connu. Il changea de quartier général à plusieurs reprises afin que les agents de Mossadegh ne retrouvent pas sa trace. Il était aidé, dans ses opérations, par cinq Américains, des agents de la CIA de l'ambassade américaine. Il était aussi secondé par des agents locaux, en l'occurrence deux hauts fonctionnaires des services secrets iraniens avec lesquels il était en contact grâce à des intermédiaires.

Le 13 août, le shah signa un décret dans lequel il désavouait Mossadegh et nommait Zahedi Premier ministre. Mais Mossadegh fit arrêter le colonel qui lui apportait le document (il s'agissait de Nematollah Nassiri, futur chef de la Savak). La foule sortit dans les rues pour manifester contre la décision du shah. C'est dans ce climat que le shah et son épouse Soraya s'enfuirent en avion à Bagdad, puis à Rome.

Pendant les deux journées qui suivirent, il régna un tel chaos à Téhéran que Kermit Roosevelt perdit le contact avec ses agents iraniens. Le chef de la CIA, Allen Dulles, rejoignit le shah à Rome afin de coordonner les opérations. À Téhéran, les foules communistes contrôlaient la rue. Elles fêtaient le départ du shah en détruisant ses statues. L'armée sortit alors des casernes et entoura les manifestants. Le 19 août au matin, Roosevelt, qui était toujours caché, donna l'ordre à ses agents iraniens de rameuter, dans la ville, des hommes de main.

Les agents se rendirent dans des clubs de sport où ils recrutèrent un curieux amalgame de camionneurs et d'athlètes avec lesquels ils formèrent un cortège insolite qui se rua au bazar en acclamant le shah.

Le soir, Zahedi sortit de sa cachette. Le shah revint de son exil. Mossadegh fut jeté en prison. Les dirigeants du Tudeh furent assassinés.

Les États-Unis n'ont, bien sûr, jamais officiellement reconnu le rôle joué par la CIA dans le coup d'État. En fin de compte, Dulles fut celui qui en dit le plus long sur ce thème lors de son passage à une émission de la CBS en 1962, après qu'il eut quitté la CIA. Quand on lui demanda s'il était exact que « la CIA a[vait] dépensé des millions de dollars pour l'achat de manifestants et autres opérations visant à faire tomber Mossadegh », Dulles répondit : « OK ! Tout ce que je peux dire, c'est que l'affirmation selon laquelle nous aurions dépensé dans ce but beaucoup de dollars est totalement fausse. »]

LIVRE (2)

[Dans leur livre *Iran : la révolution au nom de Dieu* (Paris, 1979), les deux journalistes français Claire Brière et Pierre Blanchet écrivent :

« Alors Kim[Kermit] Roosevelt pense qu'il est temps de lancer à l'assaut de la capitale et de Mossadegh les troupes de Cha'bahan Bimor, dit Cha'bahan sans cervelle, chef de bande, *loub* de Téhéran, champion de *zour khané*, la lutte nationale iranienne. Cha'bahan se dit capable de rassembler trois cents à quatre cents de ses amis, qui peuvent cogner, tirer s'il le faut. À condition, bien sûr, d'avoir des armes. Loy Henderson, nouvel ambassadeur des États-Unis, ira chercher à la banque Melli, la banque d'État, des paquets de dollars dont il remplit sa voiture. 400 000, dit-on. Il les change en rials et en *tomans*.

[...]

« Le 19 août [...] des petits groupes d'Iraniens, les voyous de « Sans cervelle », sortent des billets de banque et crient "*Begou Javid Shah*", "Dites : vive le roi". Ceux qui crient reçoivent un billet de 10 *rials*. Autour du Parlement des groupes se sont agglutinés, forment une manifestation et crient, en brandissant leurs billets : "Vive le roi". Puis d'autres groupes montent des quartiers sud, encadrés par les mollahs. Sur la place même du Parlement, une foule énorme crie, qui pour le roi, qui pour Mossadegh.

[...]

« [...] Zahedi surgit.

« Sur la place, les manifestants se sont séparés en deux groupes [...]. Zahedi s'avance vers les soldats. Alors, l'un des officiers jette sa casquette en l'air et crie : "Vive Zahedi !" ». Il sera porté en triomphe par une foule en délire.

« Seules les troupes qui gardent la demeure de Mossadegh résistent. Dans la rue, les canons et les mitraillettes tirent dans la foule. Il y aura 200 morts et plus de 500 blessés. À 16 heures tout est terminé, Zahedi câble au shah de rentrer.

[...]

« Le 26 octobre 1953, Teymour Bakhtiar est nommé gouverneur militaire de Téhéran. Cruel et sans pitié, il sera bientôt surnommé "le Charbonnier", "le Tueur".

Il est plus particulièrement chargé de traquer les partisans de Mossadegh qui ont réussi à disparaître.

« Il commence par vider la prison de Qasr de tous les prisonniers de droit commun, et interdit d'en approcher à moins d'un kilomètre. Les chars, les blindés gardent la prison, isolée du monde, les camions militaires font un incessant va-et-vient. Partisans de Mossadegh, anciens officiers ou ministres, militants communistes y sont interrogés et torturés. On perquisitionne dans tout Téhéran : en octobre, on aura retrouvé les 7 000 porteurs de la carte du parti [Tudeh]. Dans la cour de Qasr, on procède à une centaine d'exécutions capitales.

[...]

« Le coup d'État du 19 août 1953 (le 28 Mordad) marque, dans la mémoire des Iraniens, la véritable accession au trône de Mohammad Reza shah Pahlavi, dans le sang de la terrible répression qui s'est ensuivie. »]

CASSETTE (1)

« Bien sûr que vous pouvez m'enregistrer ! Ce n'est plus un sujet tabou. Avant, ça l'était. Savez-vous que pendant vingt-cinq ans il était interdit de prononcer son nom en public ? Savez-vous que le nom de "Mossadegh" fut rayé de tous les livres ? De tous les manuels ? Et figurez-vous qu'aujourd'hui des jeunes, qui ne devraient rien connaître à son sujet – c'est du moins ce que l'on croyait –, ont affronté la mort en brandissant ses portraits. Vous avez là la meilleure illustration des contrecoups de la censure et de la falsification historique. Mais le shah ne le comprenait pas. Il était incapable de comprendre qu'un homme éliminé de l'histoire ne cesse pas pour autant d'exister. Au contraire, il se met à exister encore plus, si je peux m'exprimer ainsi. Ce sont des paradoxes qu'aucun despote ne peut accepter. Il fauche l'herbe, mais elle repousse aussitôt, il la fauche encore une fois, et elle repousse plus haut que jamais. Cette loi de la nature est réconfortante. Mossadegh ! Les Anglais l'appelaient familièrement "Old Mossy". Même s'ils étaient furieux contre lui, ils lui vouaient un certain respect. Les Anglais n'ont jamais tiré sur lui. Ils se sont contentés de rassembler de la racaille en uniforme qui, en quelques jours, a imposé sa loi ! Mossy a été coffré pour trois ans. Cinq mille hommes ont été collés au mur ou sont tombés dans la rue. Le prix à payer pour sauver un trône, monsieur. Un début triste, sanglant et sale. Vous voulez savoir si Mossadegh devait perdre ? Mais il n'a surtout pas perdu, monsieur, il a gagné. Des hommes de son envergure ne peuvent être jugés à l'aune de leurs fonctions, ils ne peuvent l'être qu'à celle de l'Histoire, ce sont des choses différentes. Un personnage comme Mossadegh peut être destitué de ses fonctions, mais personne ne peut le destituer de l'Histoire, car personne ne sera capable de le rayer de la mémoire des hommes. La mémoire est une propriété privée à laquelle aucun pouvoir n'a accès. Mossy disait que la terre que nous foulons nous appartient et que tout ce qui s'y trouve nous appartient aussi. Dans ce pays, personne avant lui n'avait formulé une idée pareille. "Que tout le monde dise ce qu'il pense ! Que tout le monde prenne la parole ! Je veux entendre vos pensées." Tel était son message. Après deux mille cinq cents ans d'asservissement despotique, il nous a rappelé que l'homme est un être pensant. Aucun souverain perse ne l'avait jamais fait ! Les propos de Mossy sont gravés dans les mémoires, ils sont entrés à jamais dans nos têtes et vivent encore en nous aujourd'hui. Les paroles qui ouvrent les yeux sur le monde sont celles que nous nous rappelons le mieux. Or ce fut le cas des mots de Mossadegh. Est-il possible de dire que ses actes et ses propos furent injustifiés ? Si l'on est honnête, on ne peut exprimer une telle opinion. Aujourd'hui, tout le monde reconnaît qu'il avait raison. Le problème, c'est qu'il a eu raison trop tôt. Or, quand on a raison trop tôt, on risque sa propre carrière, si ce n'est sa vie. Toute idée juste met du temps à mûrir, pendant que les hommes souffrent et errent dans les ténèbres. Et soudain arrive un être qui clame cette idée juste avant qu'elle ait eu le temps de devenir mature, juste avant qu'elle soit devenue une vérité universelle. Les forces régnantes se dressent alors contre l'hérétique, le livrent au bûcher, le précipitent au cachot ou le pendent à une potence, car il menace leurs intérêts, trouble leur tranquillité.

Mossy s'est engagé contre la dictature de la monarchie et contre la servitude du pays. Aujourd'hui les monarchies tombent les unes après les autres, et la servitude doit se cacher sous mille formes tant elle suscite d'objections. Il s'est engagé dans ce combat il y a trente ans, quand personne ici n'osait proférer à voix haute ces vérités évidentes. Je l'ai vu deux semaines avant sa mort. Quand ? Cela devait être en février 1967. Il a passé les dix dernières années de sa vie en résidence surveillée, dans une petite ferme près de Téhéran. Évidemment, il était interdit de visite, toute la zone était bouclée par la police. Mais vous savez bien que, dans ce pays, avec des relations et de l'argent, on peut tout faire. L'argent rend tout règlement élastique. Mossy devait avoir à l'époque quatre-vingt-dix ans. Je crois que, s'il a tenu le coup si longtemps, c'est parce qu'il voulait à tout prix vivre l'instant où la vie lui donnerait raison. C'était un homme dur, difficile pour son entourage, car il ne voulait jamais céder. Mais des hommes de sa trempe sont inflexibles, ils ne peuvent être autrement. Il a gardé un esprit clair jusqu'à la fin, il était conscient de tout ce qui se passait. Il avait du mal à marcher, il avait besoin d'une canne. Il s'arrêtait et se couchait par terre pour se reposer. D'après les policiers qui le surveillaient, un matin, il a marché et s'est allongé pour se reposer. Comme il ne relevait pas, ils se sont approchés et ont vu qu'il était mort. »

Note (2)

Le pétrole attise les émotions et les passions car il est avant tout une immense tentation. La tentation de la facilité et de l'abondance, de l'opulence et de la puissance, de la fortune et du pouvoir. C'est un liquide sale et puant qui jaillit spontanément pour retomber sous forme de pluie ruisselante d'argent. Celui qui découvre un puits de pétrole et en devient propriétaire est pareil à l'explorateur qui fouille obstinément les tréfonds du sol et tombe sur un trésor royal. Désormais il est riche mais il est aussi habité par la conviction mystique qu'une force supérieure l'a gratifié de son œil bienveillant, qu'elle l'a généreusement élevé au-dessus des autres, qu'elle l'a élu en quelque sorte. Nombreuses sont les photographies ayant fixé l'instant où le premier jet de pétrole jaillit du sol : les hommes sautent de joie, s'embrassent, pleurent. Il est difficile de s'imaginer un ouvrier tombant en extase après avoir tourné une vis sur sa chaîne de montage ou un paysan exténué bondissant de joie derrière sa charrue. Car le pétrole crée également l'illusion d'une vie foncièrement nouvelle, une vie sans effort, une vie sans travail. Le pétrole est une matière première qui empoisonne la pensée, trouble la vue, corrompt. Les habitants des pays pauvres ne peuvent s'empêcher de rêver : « Mon Dieu, si nous pouvions avoir du pétrole. » Cette pensée illustre à merveille le rêve humain de la richesse acquise par un heureux hasard, par un coup de chance, par un baiser de la Fortune, et non pas par l'effort, la sueur, la souffrance ou le bagne. En ce sens, le pétrole est un conte et, comme tout conte, il est mensonge. Le pétrole emplit l'homme d'une telle arrogance qu'il se croit supérieur à une catégorie aussi résistante et inflexible que le temps. Avec le pétrole, disait le dernier shah, je créerai une deuxième Amérique en une génération ! Il ne l'a pas créée. Le pétrole a ses côtés forts, mais il a aussi ses côtés faibles : il ne remplace ni la pensée ni la sagesse. Pour un souverain, le pétrole est surtout séduisant parce qu'il renforce le pouvoir. Le pétrole génère d'immenses bénéfices sans nécessiter l'embauche d'une main-d'œuvre nombreuse. Sur le plan social, le pétrole cause peu de soucis, car il n'engendre pas vraiment de prolétariat ni de bourgeoisie, le gouvernement n'est donc pas obligé de partager les revenus dont il peut disposer à sa guise. Il n'y a qu'à regarder les ministres des pays pétroliers. Voyez un peu comme ils marchent la tête haute ! Ils ont un immense complexe de supériorité, ces seigneurs du pétrole qui décident si, demain, nous nous déplacerons à pied ou en voiture ! Le rapport entre le pétrole et la mosquée ? Que de vigueur, d'éclat et d'importance cette nouvelle richesse a donné à la religion, l'islam en l'occurrence, qui connaît aujourd'hui une période d'expansion accélérée et ne cesse d'attirer des foules de nouveaux fidèles.

D'après mon interlocuteur, ce qui s'est passé après avec le shah est, en fait, typiquement iranien. Depuis la nuit des temps, tous les shahs ont terminé leur règne de manière lamentable et infâme. Les uns se sont fait couper la tête, les autres ont pris un couteau dans le dos, ou, avec un peu de chance, ils ont échappé à la mort mais ont dû fuir le pays pour aller mourir en exil dans la solitude et l'oubli. Il ne se souvient pas d'un seul shah mort de sa belle mort, sur son trône, et ayant passé son existence entouré du respect et de l'amour de ses sujets. Il ne se souvient pas d'un seul shah regretté et porté en terre par son peuple, les larmes aux yeux. Tous les shahs du siècle dernier – et ils sont nombreux – ont perdu leur couronne et leur vie dans des conditions atroces. Le peuple les considérait comme des despotes cruels, leur reprochait leur vilenie, accompagnait leur départ d'injures et de malédictions et accueillait la nouvelle de leur mort dans des débordements d'allégresse.

[(Je lui dis que pour nous, Polonais, cette attitude est inconcevable, car une tradition fondamentalement différente nous sépare. Loin d'être des sanguinaires, les rois polonais qui se sont succédé sur le trône sont pour la plupart des hommes qui ont laissé derrière eux un bon souvenir. À son accession au trône, l'un d'eux a trouvé un pays avec des maisons en bois et l'a quitté avec des bâtisses en pierre, un autre a proclamé un décret sur la tolérance et a interdit d'allumer des bûchers, un autre encore nous a défendus contre une invasion barbare. Nous avons eu un roi qui récompensait les savants, un autre qui avait des amis poètes. D'ailleurs, les surnoms qui leur ont été donnés – le Restaurateur, le Généreux, le Juste, le Pieux – montrent qu'on pensait à eux avec reconnaissance et sympathie. Aussi, quand un Polonais apprend qu'un monarque a connu un destin cruel, il transfère inconsciemment sur lui des émotions nées d'une culture et d'une expérience tout à fait autres et gratifie le roi maudit des sentiments qu'il voue traditionnellement à ses Restaurateur, Généreux et Juste en plaignant du fond du cœur le pauvre souverain si impitoyablement découronné !)

Mon interlocuteur poursuit son récit : « Nous, les Iraniens, avons du mal à comprendre qu'ailleurs l'histoire puisse être différente. Le régicide est considéré par eux comme l'issue la plus souhaitable ou tout bonnement comme un ordre divin.] Certes, nous avons eu des shahs merveilleux comme Cyrus et Abbas, mais c'était il y a longtemps. Nos deux dernières dynasties ont fait couler des flots de sang innocent pour conquérir ou garder le trône. Imaginez, par exemple, qu'Agha Mohammad Shah, dans sa lutte pour la couronne, a fait crever les yeux d'une partie de la population de Kerman et en a fait décimer une autre. Tout le monde y passe, sans exception. Sa garde prétorienne se met à l'œuvre avec zèle. Elle ordonne aux habitants de se mettre en rangs, puis tranche la tête aux adultes et arrache les yeux aux enfants. Malgré des pauses régulières, les soldats sont tellement épuisés qu'ils n'ont plus la force de lever l'épée ou le couteau. C'est à la seule fatigue des bourreaux qu'une partie de la population doit de conserver la vie ou la vue. Des processions d'enfants aveugles quittent ensuite la ville. Ils traversent l'Iran, certains se perdent dans le désert et y meurent de soif. Des groupes arrivent dans des bourgades où ils mendient de la nourriture en entonnant des chants sur le massacre de la ville de Kerman. En ce temps-là, les nouvelles se répandaient lentement. Les hommes que les enfants croisent sur leur route sont stupéfiés d'entendre ce chœur de va-nu-pieds aveugles chanter des récits sur des glaives qui sifflent et sur des têtes qui tombent. Ils demandent de quel crime leur ville a bien pu se rendre coupable pour que le shah la châtie si cruellement. Les enfants entonnent alors le chant de leur forfait : leurs pères ont abrité dans les murs de leur cité le shah précédent, crime impardonnable aux yeux du nouveau despote. Le spectacle de la procession d'enfants aveugles émeut la population qui ne leur refuse pas le pain, mais elle le leur donne en douce, discrètement, clandestinement, car les petits aveugles ont été châtiés et stigmatisés par le shah ; ils constituent, par conséquent, une forme d'opposition itinérante. Or tout soutien à la résistance est passible du châtiment suprême. Peu à peu, des enfants voyants se joignent à ces processions d'enfants aveugles et les guident. Ensemble, ils partent sur les routes, en quête de nourriture et d'un abri contre le froid, portant l'histoire de l'extermination de la ville de Kerman dans les villages les plus lointains.

« Ce sont, poursuit mon interlocuteur, des histoires lugubres et cruelles que nous gardons tous en mémoire. Les shahs ont conquis le trône par la force, ils y ont accédé en foulant des cadavres, sous les pleurs des mères et les gémissements des mourants. Souvent, les successions de pouvoir se sont réglées dans des capitales étrangères lointaines, et le nouveau prétendant à la couronne est entré ensuite dans Téhéran au bras de l'ambassadeur britannique d'un côté, de l'ambassadeur russe de l'autre. Ces shahs étaient donc considérés comme des usurpateurs ou des occupants. Quand on connaît cette tradition, on comprend pourquoi les mollahs ont réussi à fomenter tant d'insurrections contre les shahs. Les mollahs disaient : "Celui qui règne au palais est un étranger, un laquais des puissances étrangères. Celui qui occupe le trône est la cause de vos misères, il fait fortune sur votre dos et est en train de vendre le pays." Les gens les écoutaient, car pour eux la vérité sort de la bouche des mollahs. Je ne veux pas dire que ces derniers sont des saints. Loin de là ! Que de forces obscures se cachaient à l'ombre des mosquées ! Mais les abus du pouvoir, l'anarchie du palais faisaient d'eux les avocats de la cause nationale. »

Il revient aux destinées du dernier shah. « Pendant ces journées d'émigration à Rome, il prend conscience qu'il risque de perdre à jamais le trône et de grossir l'insolite bataillon des monarques en exil. Cette pensée lui fait reprendre ses esprits. Il décide de tourner la page de sa vie frivole. » (Le shah écrira par la suite, dans un livre, que c'est à Rome qu'Ali lui est apparu en rêve pour lui dire : « Rentre au pays pour sauver le peuple ! ») Désormais, il est habité par une immense ambition et le profond désir de montrer sa force et sa supériorité, trait de caractère typiquement iranien, selon mon interlocuteur. « Un Iranien ne cède jamais à l'autre, chacun étant convaincu de sa prééminence, chacun voulant être le premier et le plus important, chacun voulant imposer son propre "moi", son "moi" exclusif. Je sais mieux que les autres, je possède plus que les autres, je peux tout. Le monde commence à partir de moi, à moi tout seul je suis le monde entier. Moi, et rien que moi ! » (Pour illustrer ses propos, il se lève, dresse la tête, me regarde de haut, ses yeux expriment une fierté, une morgue, une arrogance orientales.) « En groupe, les Iraniens se plient d'emblée aux règles de la hiérarchie ; je suis le premier, tu es le deuxième et toi le troisième. Mais le deuxième et le troisième n'en demeurent jamais là, très vite ils se démènent, intriguent, manœuvrent pour occuper la première place. Le premier a intérêt à bien se retrancher pour ne pas être déchu de ses hauteurs.

« Se retrancher et sortir les mitraillettes !

« Ces règles s'appliquent partout, même au sein de la famille ! Puisque l'homme doit être supérieur, la femme doit être inférieure. En dehors de la maison, il n'est peut-être rien, mais sous son propre toit, il se rattrape, il est tout. Chez lui, il a le pouvoir absolu dont l'étendue et le poids sont proportionnels au nombre d'enfants. D'ailleurs, mieux vaut avoir beaucoup d'enfants pour avoir du monde à dominer, pour pouvoir être le maître d'un État domestique, pour susciter le respect et l'admiration, pour décider du destin de ses sujets, pour régler les conflits, pour imposer sa volonté, pour régner. (Il me regarde et observe l'effet de ses dernières paroles. Mais je réagis avec vigueur : je suis contre de tels stéréotypes. Je connais beaucoup de ses compatriotes qui se distinguent par leur modestie et leur gentillesse, je n'ai jamais eu l'impression d'être considéré comme un être inférieur par eux). C'est tout à fait juste, acquiesce-t-il, mais c'est parce que je ne représente pas un danger pour eux. Je ne participe pas à leur jeu du "moi suprême". Cette mentalité est à l'origine de l'incapacité des Iraniens à fonder un parti solide, car aussitôt surgissent des querelles à propos de la direction de ce parti, chacun veut créer le sien propre.

« À son retour de Rome, le shah se lance à son tour dans le jeu du "moi suprême". À corps perdu.

« Il essaie avant tout de redorer son blason car, dans notre culture, perdre la face est une infamie, poursuit-il. Un monarque, le père du peuple, qui au moment le plus critique fuit son pays et fait du shopping pour acheter à son épouse des bijoux ! Non, il faut coûte que coûte effacer cette image. Aussi, dès que Zahedi envoie au shah un télégramme l'informant que les chars ont fait leur travail et l'invite à rentrer au pays en lui assurant que le danger est passé, le shah s'arrête pour une halte en Iraq où il se fait photographier, la main posée sur la tombe du calife 'Ali, signe que le patron des chiites le renvoie sur le trône, lui donne sa bénédiction.

« Un geste religieux, c'est le meilleur moyen de rentrer dans les bonnes grâces du peuple.

« Le shah revient donc, mais le pays est toujours en proie à la tempête : étudiants en grève, manifestations de rue, fusillades, obsèques. L'armée même est minée par les conflits, les complots, les discordes. Menacé de toutes parts, le shah a peur de sortir du palais. Il vit au milieu de sa famille, de courtisans et de généraux. Maintenant que Mossadegh a été destitué, [Washington se met à arroser le pays d'argent. Le shah affecte la moitié de cette manne à l'armée, il va miser de plus en plus sur elle, s'entourer de ses militaires. (Du reste, les souverains de monarchies comme l'Iran – dictatures militaires croulant sous l'or et les diamants – se comportent de la même façon.)]

« Les soldats ont donc de la viande et du pain, conclut mon interlocuteur. N'oubliez pas que notre peuple vit dans la misère ! Imaginez un peu ce que représentent pour lui des soldats bien nourris ! Imaginez un peu le prestige dont ils jouissent !

« En ce temps-là, on voyait des enfants avec des ventres ballonnés, ils se nourrissaient d'herbe. Je me souviens d'un père qui avait brûlé la paupière de son petit avec une cigarette. Son œil s'était mis à gonfler et à suppurer, son visage était effroyable. Lui-même s'était enduit le bras de graisse, sa peau s'était mise à enfler et à noircir. Il voulait apitoyer les gens pour qu'ils leur donnent à manger.

« Le seul jouet de mon enfance, c'étaient des pierres que je tirais derrière moi : une pierre avec une ficelle. J'étais le cheval, et le caillou, le carrosse doré du shah. »

[Après cette digression, il enchaîne en expliquant que, pendant vingt-cinq ans, le shah va consolider son pouvoir. « Il connaît des débuts très difficiles, et nombreux sont ceux qui pensent qu'il ne tiendra pas longtemps. Les Américains lui ont sauvegardé le trône, mais ils ne sont pas encore sûrs d'avoir fait le bon choix. Le shah se raccroche aux Américains parce qu'il a besoin de leur soutien, il ne se sent pas fort dans son propre pays. Il se rend régulièrement à Washington, y séjourne pendant des semaines, discute, persuade et donne des gages. Mais il n'est pas le seul à y aller, à persuader et à donner des gages. Notre élite va en Amérique et se lance dans une compétition pour faire monter les enchères et les garanties, pour brader le pays.

« Nous avons un État policier. La Savak est créée. Son premier chef est l'oncle de Soraya, le général Bakhtiar. Le shah se met à craindre que Bakhtiar, homme fort et décidé, ne fasse un coup d'État et ne le renverse. Aussi ne tarde-t-il pas à destituer le général et à le faire fusiller.

« Avec les purges, un climat de peur, de terreur s'instaure dans le pays. Personne n'est sûr de son destin, personne n'est jamais tranquille. Ça sent la poudre et la révolution. En Iran, le calme n'a réellement jamais existé, le pays est toujours sous la menace d'un nuage noir. »

NOTE (4)

Le président Kennedy incite le shah à mener des réformes. Il pousse le monarque (et d'autres dictateurs alliés) à moderniser son État pour éviter qu'il subisse le sort de Fulgencio Batista (l'Amérique est à l'époque – l'année 1961 – sous le choc de la victoire de Fidel Castro et elle ne souhaite pas que le même scénario se répète dans d'autres pays.) Kennedy estime que cette désagréable perspective est évitable à condition que les dictateurs mènent des réformes et fassent des concessions pour désarmer les agitateurs qui appellent à la révolution rouge.

En réponse aux sollicitations et aux persuasions de Washington, le shah déclare sa « révolution blanche ». Il semble que Mohammad Reza ait perçu dans la pensée du président des États-Unis une manière de tirer la couverture à soi. Il vise notamment deux objectifs (irréalisables malheureusement) : renforcer son pouvoir et accroître sa popularité.

Le shah appartient à cette catégorie de gens qui ont un besoin vital d'être loués, adorés, applaudis. Pour eux, c'est un moyen de surmonter leur faiblesse, leur indécision et leur fragilité. Sans ce culte les portant constamment aux nues, ils sont incapables d'exister et d'agir. Le monarque iranien ne se lasse jamais de lire des propos flatteurs à son sujet, de regarder sa photographie à la une des journaux, sur l'écran des téléviseurs ou même sur les couvertures des cahiers d'écoliers. Il adore voir des visages rayonnants à sa vue, écouter sans répit des mots de reconnaissance et d'admiration. Il souffre ou se fâche dès qu'il perçoit dans ces « hosannas » (qui doivent avoir un retentissement planétaire) une note qui irrite son oreille, et il en garde rancune pendant des années. Comme la cour tout entière connaît son point faible, le rôle des ambassadeurs consiste essentiellement à neutraliser le moindre mot de critique même s'il est exprimé dans des pays aussi petits que le Togo ou le Salvador ou dans des langues aussi inaccessibles que le zandé ou l'oromo. Aussitôt s'élèvent des cris de protestation et d'indignation, aussitôt les relations et les contacts sont rompus. Cette chasse fébrile et même obsessionnelle à tous les sceptiques de la planète a pour conséquence de voiler au monde (à quelques pays près) ce qui se passe réellement en Iran, car ce pays difficile, meurtri, tragique, sanglant offre l'image d'un gâteau d'anniversaire recouvert d'un glaçage tout rose. Ces louanges servent-elles de compensation au shah ? Le monarque cherche-t-il à l'extérieur ce dont il est privé dans son propre pays : la reconnaissance, les bravos, les hourras ? C'est possible, car chez lui il n'est pas populaire, il n'est pas entouré de chaleur et il doit le sentir d'une manière ou d'une autre.

Or voilà que se présente, peut-être, une occasion de conquérir les campagnes en instaurant une réforme agraire, de s'allier les paysans en leur distribuant la terre. La terre de qui ? En Iran, la terre est la propriété du shah, des féodaux et du clergé. Si les féodaux et le clergé perdent leurs terres, leur pouvoir dans les campagnes s'en trouvera affaibli alors que celui de l'État – et donc celui du shah – sera renforcé. Cela paraît simple comme bonjour. Malheureusement, dès que le shah entreprend quelque chose, c'est toujours compliqué. Ses actes sont tordus et inachevés. En théorie, les féodaux doivent rendre leurs terres, mais cette disposition ne concerne qu'une minorité d'entre eux et qu'une partie des terres (le prix du rachat est, par ailleurs, exorbitant). En théorie, les paysans doivent recevoir les terres, mais dans la pratique cela ne concerne que ceux qui en possèdent déjà (or la majorité ne possède pas le moindre lopin).

Le shah commence par donner l'exemple. Il se rend sur le terrain et distribue lui-même des actes de propriété. On voit cela sur des photos ; droit comme un I, le grand bienfaiteur, avec une brassée de rouleaux dans les bras (les fameux actes de propriété) et, courbés jusqu'à terre, les paysans qui lui baisent les pieds.

Mais très vite un scandale éclate !

Il apparaît que le père du shah a abusé de son pouvoir pour s'approprier de nombreuses terres appartenant aux féodaux et au clergé. Après son départ, le

Parlement avait décrété que les terres usurpées par Reza Khan devaient être rendues à leurs propriétaires. Or voilà que son fils les distribue comme si elles lui appartenaient. De surcroît, il les vend au prix fort tout en se présentant comme un généreux réformateur.

Ce n'est pas tout ! Avocat du progrès, le shah s'empare aussi des terres des mosquées. Comme il s'agit d'une réforme, tout le monde doit consentir à des sacrifices pour améliorer le sort des paysans. Conformément à la loi coranique, les musulmans pieux lèguent traditionnellement une partie de leurs biens aux mosquées. Les terres appartenant aux mosquées sont immenses. C'est fort bien que le shah ait pensé à déplumer les mollahs et à améliorer ainsi le sort de la paysannerie pauvre. Malheureusement, un nouveau scandale ne tarde pas à éclater. Il apparaît que les terres confisquées au clergé sous le couvert de slogans pompeux sont distribuées par le monarque à ses proches, aux généraux, aux colonels, à la « camarilla » de la cour. Quand la nouvelle s'ébruite, la population entre dans une telle rage qu'il suffirait d'une étincelle pour mettre le feu aux poudres.]

NOTE (5)

« Tous les prétextes sont bons pour s'opposer au shah, reprend mon interlocuteur. Les gens veulent se débarrasser de lui, ils tentent leur chance dès que l'occasion se présente. Ils ont percé son jeu, leur indignation est immense. Ils comprennent que le shah veut renforcer son pouvoir et faire durer la dictature. Pour le peuple, c'est inadmissible. Ils comprennent que la "révolution blanche" leur est imposée d'en haut, qu'elle a un but strictement politique, avantageux pour le shah et personne d'autre. Leurs regards se tournent maintenant vers Qom, car notre histoire est ainsi faite que, dès qu'il y a un sujet de mécontentement ou une crise quelconque, les gens tendent l'oreille vers Qom d'où a toujours été donné le signal de départ.

« Or la ville de Qom gronde déjà.

« Une autre affaire vient encore dégrader le climat général. C'est l'époque où le shah octroie à tous les militaires américains et à leurs familles l'immunité diplomatique. Notre armée est, à l'époque, bourrée d'experts américains. Les mollahs s'insurgent contre cette immunité contraire au principe de souveraineté. C'est la première fois que l'Iran va entendre la voix de l'ayatollah Khomeyni. Auparavant, il n'était connu de personne, à l'exception des habitants de Qom, bien sûr. Il a déjà plus de soixante ans, et si l'on prend en considération la différence d'âge avec le shah, il pourrait être son père. Par la suite, l'ayatollah s'adressera à lui en disant "mon fils", avec une pointe d'ironie et de colère, évidemment. Khomeyni s'oppose au shah en utilisant les mots les plus brutaux. "Frères, s'exclame-t-il, ne le croyez pas, il ne fait pas partie de notre

82

famille ! Il ne pense pas à nous, il ne pense qu'à lui-même et à ceux qui lui donnent des ordres. Il est en train de vendre notre pays, il est en train de nous brader tous ! Le shah doit partir !"

« La police arrête Khomeyni. Les habitants de Qom manifestent. Ils exigent la libération de l'ayatollah. Puis d'autres villes se joignent à la révolte : Téhéran, Tabriz, Meshed, Ispahan. Le shah envoie l'armée dans les rues et le massacre commence (mon interlocuteur se lève, tend les bras devant lui et serre les mains comme s'il tenait une arme automatique. Il ferme l'œil droit et imite le bruit de la mitraillette). C'était en juin 1963, dit-il. L'insurrection a duré cinq mois. Le mouvement était dirigé par les démocrates du parti de Mossadegh et les religieux. Plusieurs milliers de morts et de blessés. La révolte est suivie de quelques années de calme lugubre, mais pas total, car des insurrections et des combats éclatent de temps à autre. Khomeyni est expulsé du pays et s'établit à Najaf, la plus grande ville chiite d'Iraq, où se trouve la tombe du calife 'Ali.

« Aujourd'hui je m'interroge sur les circonstances à l'origine du phénomène Khomeyni. En effet, il y avait, à l'époque, des ayatollahs ainsi que des opposants politiques plus importants et plus connus que lui. Tous, nous rédigions des protestations, des manifestes, des lettres, des déclarations. Ces textes étaient lus par une poignée d'intellectuels, car il était impossible de les imprimer légalement, sans compter que la majorité de la société ne savait pas lire. Nous critiquions le shah, nous disions que les choses allaient mal, nous exigions des changements et des réformes, plus de démocratie et de justice. Mais personne n'a eu l'idée de prendre position comme le fit Khomeyni, c'est-à-dire rejeter toute cette prose, ces pétitions, ces résolutions, ces propositions. Personne n'a pensé envoyer tout cela promener, se présenter devant le peuple en s'exclamant : "Le shah doit partir !"

« Car tel était vraiment le contenu des propos qu'il répéta quinze années durant. C'était le slogan le plus simple à mémoriser, mais il a fallu quinze ans pour que les gens en comprennent vraiment le sens. Pour les Iraniens, la monarchie semblait, en effet, aussi évidente que l'air qu'ils respiraient, et personne n'était capable de s'imaginer la vie sans elle.

« "Le shah doit partir !"

« Inutile de débattre, de bavarder, de réformer, de pardonner. Cela n'avait aucun sens, cela ne changerait rien, c'étaient des efforts vains, une illusion. Nous ne pouvions aller de l'avant que sur les ruines de la monarchie, c'était la seule et unique voie.

« "Le shah doit partir ! N'attendez pas, ne traînez pas, ne vous endormez pas ! Le shah doit partir !"

« Quand il a formulé son slogan pour la première fois, on l'a pris pour un fou, pour un maniaque. La monarchie n'avait pas encore épuisé toutes ses possibilités d'endurance. Mais le dernier acte de la pièce était en train de se jouer, l'épilogue approchait. Et c'est alors que tout le monde s'est souvenu des paroles de Khomeyni et l'a suivi. »

PHOTOGRAPHIE (8)

La photographie représente un groupe de personnes debout à un arrêt d'autobus dans une rue de Téhéran. Les gens qui attendent le bus se ressemblent partout dans le monde, ils ont le même air las et apathique, la même attitude engourdie et résignée, le même regard vague et distant. L'homme qui m'a donné cette photo me demande si je remarque quelque chose de particulier. « Non, dis-je après réflexion, je ne vois rien de spécial. » Il m'explique alors que le cliché a été pris en cachette, d'une fenêtre située de l'autre côté de la rue. En me montrant la photo, il me demande de me concentrer sur le personnage debout à côté de trois hommes en conversation et qui tend l'oreille dans leur direction (l'homme en question ressemble à un bureaucrate, aucun signe particulier). En fait, il s'agit d'un agent de la Savak qui était toujours en faction à cet arrêt d'autobus. Son travail consistait à épier les gens qui bavardaient parfois en attendant leur bus. Le contenu de leurs conversations était toujours anodin. Les gens ne pouvaient parler que de sujets neutres, mais même en abordant les sujets les plus banals, il fallait veiller à choisir un thème ne permettant pas à la police d'y détecter le moindre sous-entendu. La Savak avait le don de déceler des allusions partout. Un jour, par un après-midi torride, un homme âgé et malade du cœur de surcroît, est arrivé à l'arrêt d'autobus en question et a dit en soupirant : « Il fait lourd, on ne peut pas respirer. – C'est vrai, est aussitôt intervenu l'agent de la Savak en se frayant un passage vers le vieil homme essoufflé, il fait de plus en plus étouffant, les gens manquent d'air. – En effet, a confirmé, la main sur le cœur, le vieil homme naïf, l'air est oppressant ! » L'agent de la Savak s'est alors crispé et a dit sèchement : « Vous n'allez pas tarder à reprendre des forces. » Et sans dire un mot de plus, il l'a emmené. Les gens qui, à l'arrêt d'autobus, avaient suivi toute la conversation avec effroi s'étaient rendu compte, dès le début, que le vieil homme malade commettait une faute impardonnable en prononçant le mot « oppressant » dans sa conversation avec un étranger. L'expérience leur avait en effet appris qu'il fallait éviter de prononcer, à voix haute, des mots tels que « oppression », « ténèbres », « fardeau », « abîme », « effondrement », « bourbier », « putréfaction », « cage », « grille », « chaîne », « bâillon », « bâton », « botte », « bobard », « vis », « poche », « patte », « folie » ; des verbes tels que « se soumettre », « s'abaisser », « s'écarter », « tomber » (la tête la première), « pourrir », « faiblir », « être aveuglé », « devenir sourd », « s'embourber » ; ou encore des expressions impersonnelles telles que « ça cloche », « ça ne marche pas », « ça ne va pas », « ça va craquer », car tous ces mots et expressions pouvaient être une allusion au régime du shah et donc représentaient un champ sémantique explosif, un terrain miné où il suffisait de poser le pied pour sauter. Pendant un bref instant, les gens qui attendaient le bus furent pris d'un doute : le vieillard malade était peut-être, lui aussi, un agent de la Savak, car s'il s'était permis de critiquer le régime (en employant, dans la conversation, le mot « oppressant »), cela voulait dire qu'il en avait le droit ! Dans le cas contraire, il aurait gardé le silence ou il aurait abordé un thème plus plaisant. Il aurait, par exemple, évoqué le soleil qui brille ou l'autobus sur le point d'arriver. Qui, en effet, était autorisé à formuler des critiques ? Seuls les agents de la Savak, qui utilisaient ce stratagème pour provoquer les bavards imprudents et les emmener ensuite en prison. La peur rendait les gens fous et suspicieux au point qu'ils ne croyaient plus en l'honnêteté, la pureté et le courage des autres. Ils se considéraient eux-mêmes comme des gens honnêtes, mais incapables d'exprimer la moindre idée, opinion ou critique car ils savaient que le châtiment serait implacable. Donc, si une personne critiquait ou remettait en question le monarque, ils considéraient qu'elle devait bénéficier d'un privilège quelconque, et à tous les coups, était malintentionnée : elle cherchait à démasquer ceux qui l'approuveraient pour mieux les anéantir après. Plus elle exprimait ses opinions (alors que chacun gardait les siennes pour soi) avec virulence et pertinence, plus elle paraissait suspecte et plus les gens gardaient leurs distances et avertissaient leurs proches : « Méfiez-vous de lui, cet homme est louche, il parle trop. » Ainsi, la peur triomphait en maîtresse et condamnait à l'isolement et au bannissement ceux qui voulaient s'opposer, en toute bonne foi, à la violence. Elle déformait les esprits à tel point que les gens prenaient l'audace pour de la traîtrise et le courage pour de la collaboration.

Ce jour-là, pourtant, en voyant de quelle manière brutale l'agent de la Savak emmenait sa victime, les gens de l'arrêt de l'autobus conclurent que le vieil homme malade ne pouvait avoir de liens avec la police. Tous deux disparurent d'ailleurs très vite vers une mystérieuse destination.

Personne ne savait, en effet, où la Savak tenait ses cantonnements. La Savak n'avait pas de quartier général, elle était dispersée dans toute la ville (et dans tout le pays), elle était partout et nulle part. Elle occupait des bâtiments, des villas et des appartements qui ne payaient pas de mine, ne comportaient aucune inscription ou alors affichaient des plaques de sociétés et d'institutions inexistantes. Ses numéros de téléphone n'étaient connus que des initiés. La Savak pouvait disposer de pièces dans un immeuble lambda. On pouvait aussi accéder à ses salles d'interrogatoire par une boutique, une blanchisserie ou une boîte de nuit. Ainsi, tous les murs pouvaient avoir des oreilles. Toutes les portes, tous les portillons et portails pouvaient mener aux locaux de la Savak. Celui qui tombait entre les mains des hommes de cette police disparaissait sans laisser de trace pour longtemps (sinon pour toujours). Il disparaissait soudain, personne ne savait ce qui lui était arrivé, où le trouver, où s'adresser, qui interroger, qui supplier. Peut-être avait-il été enfermé dans une prison, mais laquelle ? Il y en avait six mille. Selon les estimations de l'opposition, cent mille prisonniers politiques croupissaient à l'ombre. Un mur invisible mais infranchissable se dressait devant la population désemparée, figée, paralysée. L'Iran était l'État de la Savak, même si la police secrète fonctionnait comme une organisation clandestine ; elle apparaissait et disparaissait, elle effaçait toute trace derrière elle, elle n'avait pas d'adresse. Certaines sections avaient toutefois une existence officielle. La Savak censurait la presse, les livres et les films (c'est elle qui interdit les mises en scène de Shakespeare et de Molière dont les pièces critiquaient les travers des monarques). La Savak régnait dans les écoles, les administrations et les usines. C'était une pieuvre monstrueuse dont les tentacules démesurés s'immisçaient, se déployaient jusqu'aux moindres recoins, collaient partout ses ventouses, épiaient, reniflaient, grattaient, vrillaient tout. La Savak avait soixante mille agents. On estime qu'elle comptait aussi trois millions d'informateurs aux motivations diverses et variées : arrondir ses fins de mois, sauver sa peau, trouver un travail ou décrocher une promotion. Soit la Savak achetait les gens, soit elle les condamnait à la torture ; soit elle offrait des postes, soit elle jetait dans des cachots. Elle décidait qui était ennemi et, partant, qui devait être anéanti. Sa sentence était sans révision ni appel. Seul le shah était en mesure de sauver le condamné. La Savak n'avait de comptes à rendre qu'au shah, les sujets du monarque étaient impuissants face à la police.

Les gens attroupés à l'arrêt de l'autobus savent tout cela. C'est la raison pour laquelle ils continuent de se taire après la disparition de l'agent de la Savak et du vieil homme malade. Du coin de l'œil, ils se regardent, personne n'est sûr que son voisin ne va pas aller faire un rapport. Peut-être revient-il d'un entretien où on lui a suggéré que s'il remarquait ou entendait par hasard quelque chose et que s'il en informait les services de la Savak, son fils serait admis à l'université. Ou alors on lui a peut-être laissé entendre que, s'il remarquait ou entendait quelque chose, on effacerait de son dossier une note à propos de son appartenance à l'opposition. « Mais que voulez-vous dire ? Je ne fais pas partie de l'opposition ! » se défend-il. « Si, c'est inscrit dans ton dossier. » Les gens attroupés à l'arrêt d'autobus se regardent avec haine et aversion malgré eux, même si certains s'efforcent de le cacher afin d'éviter toute explosion d'agressivité. Leurs réactions frôlent la névrose, elles sont exacerbées, excessives, disproportionnées. Un rien les irrite, les révulse, les exaspère, ils se regardent en chiens de faïence, se demandant les uns les autres qui va attaquer le premier. Cette méfiance mutuelle est l'œuvre de la Savak qui pendant des années a murmuré à chacun que tout le monde appartenait à la Savak. Un tel, un tel, un tel. Comment cela ? Lui aussi ? Mais bien sûr, lui aussi en fait partie. Tout le monde en fait partie !

Il se peut aussi que les hommes attendant l'autobus soient des gens intègres, que leur émoi intérieur, masqué par le silence, et un visage de marbre s'explique par la peur bleue qu'ils viennent d'éprouver pour avoir frôlé de si près la Savak. Si leur instinct les avait trompés un seul instant et qu'ils s'étaient laissés aller à aborder un thème ambigu, à propos des poissons, par exemple, qui pourrissent vite quand il fait chaud et qui sont vraiment de drôles de bêtes, car ils commencent toujours par pourrir et puer de la tête au point qu'il faut la couper tout de suite si l'on veut sauver le reste. À supposer qu'ils aient imprudemment abordé ce thème culinaire, ils auraient pu subir le triste sort de l'homme au cœur malade. Pour le moment, toutefois, ils sont sains et saufs et continuent d'attendre le bus en épongeant la sueur de leur front et en éventant leur chemise trempée.

NOTE (6)

Siroté en catimini (il faut effectivement se cacher à cause de la prohibition imposée par Khomeyni), le whisky a une saveur plus exaltante, comme tout fruit défendu. Pourtant les verres ne contiennent que quelques gouttes d'alcool. Les maîtres de maison viennent de sortir leur dernière bouteille du fond de leur cave, conscients qu'il ne leur sera plus possible d'en acheter une autre. Pendant ces journées, les derniers alcooliques du pays sont en train de mourir. Comme ils ne peuvent acheter nulle part ni vodka, ni vin, ni bière, etc., ils s'imbibent de dissolvants, mettant ainsi prématurément fin à leurs jours.

Nous sommes assis au rez-de-chaussée d'une petite villa confortable et coquette. La baie vitrée grande ouverte donne sur le jardin au fond duquel on aperçoit un mur séparant la propriété de la rue. Rempart haut de trois mètres, ce mur accentue l'intimité du lieu. Mes deux hôtes ont la quarantaine, ils ont terminé leurs études à Téhéran et travaillent dans une agence de voyages (ici, elles se comptent par centaines du fait de l'extrême mobilité des Iraniens).

« Nous sommes mariés depuis des années, dit le maître de maison dont les cheveux commencent à grisonner, mais c'est seulement maintenant, pour la première fois, que ma femme et moi parlons politique. Nous n'avons jamais abordé ce thème avant. Je crois que c'était pareil pour nos amis. »

Non pas qu'ils n'aient pas eu confiance l'un dans l'autre. Ils ne s'étaient d'ailleurs jamais entendus là-dessus. C'était plutôt un accord tacite, conclu entre eux presque inconsciemment à l'issue d'une réflexion réaliste sur la nature humaine, réflexion selon laquelle on ne sait jamais comment l'homme se comporte en situation extrême, à quelle extrémité, à quelle diffamation, à quelle traîtrise il peut être conduit.

« Le malheur, c'est que personne ne peut savoir à l'avance jusqu'à quel point il supportera les tortures, dit la maîtresse de maison dont les yeux immenses brillent dans la pénombre. Personne ne peut savoir s'il sera capable de les supporter. La Savak pratiquait les tortures les plus horribles. Sa méthode consistait à enlever un homme dans la rue, à lui bander les yeux et, sans rien lui demander, à l'emmener directement dans la salle de tortures. Là-bas, c'était le début du cauchemar : on lui brisait les os, on lui arrachait les ongles, on lui posait les mains sur un poêle, on lui sciait le crâne, et des dizaines d'autres atrocités. Et c'est seulement quand l'homme, fou de douleur, était transformé en une épave sanglante qu'ils s'intéressaient à son identité : "Nom ? Prénom ? Adresse ? Qu'est-ce que tu as dit sur le shah ? Répète ce que tu as dit." Il pouvait n'avoir rien dit du tout, il pouvait être complètement innocent. L'innocence ? Pour la Savak, cela ne signifiait rien. Innocents ou pas, tous les gens avaient peur, personne ne se sentait en sécurité. C'est là-dessus que reposait la terreur. La Savak pouvait frapper n'importe qui, nous étions tous coupables, car le chef d'inculpation concernait non pas les actes mais les intentions que la Savak pouvait nous prêter. "Tu étais contre le shah ? – Non ! – Mais tu as voulu être contre lui, ordure !" C'était suffisant.

« Parfois, on traduisait les victimes en justice. Pour les procès politiques (mais qu'est-ce que cela veut dire, un procès politique ? Ici tout était politique), il n'existait que des tribunaux militaires : huis clos, pas d'avocat, pas de témoin et le verdict, directement. Puis l'exécution. Je me demande si les victimes fusillées par la Savak ont été dénombrées. Des centaines sûrement. Notre grand poète Khosro Golsorkhi a été fusillé. Notre grand metteur en scène Keramat Denachian a été fusillé. Des dizaines d'écrivains, de professeurs et d'artistes ont été emprisonnés. Des dizaines d'autres ont été obligés d'émigrer pour sauver leur peau. La Savak comptait dans ses rangs des brutes ignares qui s'acharnaient particulièrement sur les personnes cultivées.

« La Savak n'aimait pas les procès et les tribunaux. Elle privilégiait une autre méthode : tuer en cachette. Après, toute trace demeurait introuvable. Qui a tué ? On l'ignore. Où sont les coupables ? Il n'y a pas de coupables.

« Les gens ne pouvaient plus supporter la terreur. C'est pourquoi ils se sont jetés, les mains nues, sur l'armée et la police. Cela ressemblait à un acte de désespoir, mais cela nous était égal. Le peuple tout entier était opposé au shah car, pour nous, la Savak c'était le shah, ses oreilles, ses yeux, ses mains.

« Dès que quelqu'un parlait de la Savak, on le scrutait longuement en se disant : il en fait peut-être partie. C'était une obsession. Et cet interlocuteur pouvait être un père, un mari, une amie. Je me disais à moi-même : "Maîtrise-toi, c'est absurde !", mais rien n'y faisait, cette idée revenait constamment. Nous étions tous malades, le régime entier était malade et j'ignore quand nous guérirons, quand nous retrouverons notre équilibre.

Ces années de dictature nous ont psychiquement brisés et il faudra du temps pour que nous recommencions à vivre normalement. »

PHOTOGRAPHIE (9)

Cette photo est épinglée au milieu de slogans, de proclamations et d'autres photographies sur un panneau d'affichage devant le bâtiment du comité révolutionnaire à Chiraz. Je demande à un étudiant de me traduire la légende manuscrite punaisée au-dessus du cliché. « Le texte dit que ce petit garçon est âgé de trois ans, qu'il s'appelle Habib Fardust et qu'il a été prisonnier de la Savak », me dit-il. « Mais comment peut-on être prisonnier de la Savak à l'âge de trois ans ? » demandé-je. L'étudiant m'explique que la Savak enfermait parfois des familles entières. C'est justement ce qui est arrivé au petit garçon. Il lit la légende jusqu'au bout et ajoute que les parents du gamin ont péri sous la torture. On publie maintenant beaucoup de livres sur les crimes de la Savak, avec des documents de la police et des récits de victimes torturées. J'ai même vu – cela a d'ailleurs été pour moi un choc terrible – des cartes postales en couleur, vendues devant l'université, qui représentent les corps massacrés par la Savak. Comme si rien n'avait bougé depuis Tamerlan. Comme s'il n'y avait eu aucun changement depuis six cents ans. La même cruauté pathologique, avec, peut-être, la technologie en plus. L'instrument le plus utilisé dans les locaux de la Savak était une table en fer chauffée électriquement, appelée « la poêle à frire », sur laquelle on attachait la victime par les mains et les pieds. Beaucoup d'Iraniens sont morts sur ces tables. Souvent, avant même d'être conduit dans la salle des tortures, l'inculpé avait perdu l'esprit, car en attendant son tour il n'avait pu supporter les hurlements et l'odeur de chair brûlée provenant de la salle en question. Dans ce monde cauchemardesque, le progrès technique n'a toutefois pas réussi à évincer les méthodes moyenâgeuses. Dans les prisons d'Ispahan, on enfermait les gens dans de grands sacs où grouillaient des chats rendus fous par la faim ou des serpents venimeux. Des récits semblables, parfois divulgués intentionnellement par les agents de la Savak, ont circulé pendant des années dans la société iranienne. Les gens étaient d'autant plus terrorisés que la notion d'ennemi était élastique et arbitraire, tout le monde pouvait s'imaginer tomber un jour dans la salle des tortures. [Pour la population, la Savak était non seulement cruelle mais elle représentait une force étrangère, une force d'occupation, une variante locale de la Gestapo.

Pendant la révolution, les manifestants qui défilent dans les rues de Téhéran chantent un chant plein d'expression et de pathos, *Allah Akbar*, dans lequel un refrain dit :

Iran, Iran, Iran
Chun-o-marg-o-osjan.

(Iran, Iran, Iran
Mort, révolte et sang.)

Définition tragique de l'Iran, mais sans doute la plus juste. Image qui perdure depuis des siècles, contre vents et marées.

À cet égard, les dates sont éloquentes. En septembre 1978, quatre mois avant son départ, le shah accorde une interview à un correspondant de l'hebdomadaire allemand *Stern*. Vingt années se sont écoulées depuis que le monarque a présidé à la création et à la mise en route de la Savak.

Le correspondant : Quel est le nombre des prisonniers politiques en Iran ?

Le shah : Qu'entendez-vous par « prisonniers politiques » ? Mais je crois deviner ce que vous voulez dire. Moins de mille.

Le correspondant : Êtes-vous sûr qu'aucun d'entre eux n'a été torturé ?

Le shah : Je viens de donner des instructions afin de mettre fin à la torture.]

PHOTOGRAPHIE (10)

Cette photo a été prise à Téhéran le 23 décembre 1973 : entouré d'un rempart de microphones, le shah

97

donne une conférence de presse dans une salle bourrée de journalistes. Cette fois, Mohammad Reza, qui en général se distingue par une maîtrise de soi et une réserve étudiées ne parvient pas à cacher son émotion, son énervement, voire sa fièvre, comme le remarquent certains journalistes.

L'instant est effectivement grave et lourd de conséquences pour le monde entier, car le shah est en train d'annoncer les nouveaux prix du pétrole. En près de deux mois, ils ont quadruplé, et l'Iran qui tire de l'exportation de cette matière première 5 milliards de dollars de revenus annuels va maintenant en recevoir 20. Ajoutons que le seul et unique trésorier de cette gigantesque masse d'argent sera le shah en personne. Souverain autocrate, il peut en disposer à sa guise en la jetant à la mer, en l'enfermant dans un coffre doré ou en s'achetant des crèmes glacées. Il n'est donc pas étonnant que le monarque soit à ce point excité, car nul d'entre nous ne sait comment il réagirait s'il se retrouvait soudain avec 20 milliards de dollars en poche en sachant que, d'année en année, le magot ne cessera d'augmenter. Rien d'étonnant non plus qu'il soit arrivé au shah ce qui devait fatalement lui arriver, autrement dit qu'il ait perdu la tête. Au lieu de réunir sa famille, ses fidèles généraux et ses conseillers les plus proches pour réfléchir, de concert, à la manière de tirer judicieusement profit de ce pactole, le shah, qui prétend avoir eu une vision du ciel, annonce au monde entier qu'en l'espace d'une génération il va faire de l'Iran (pays de va-nu-pieds, arriéré, désorganisé, à moitié analphabète) la cinquième puissance mondiale. En même temps, le monarque lance un séduisant slogan de prospérité générale, éveillant de grands espoirs au sein de la population. Au début, ces espoirs ne semblent pas totalement vains puisque nul n'ignore que le shah détient une fortune colossale.

Quelques jours après la conférence de presse de la fameuse photo, le monarque accorde une interview à un correspondant de l'hebdomadaire allemand *Der Spiegel*.

« Dans dix ans, nous aurons atteint le niveau des Allemands, des Français, des Anglais.

— Vous croyez vraiment atteindre cet objectif en dix ans ? demande le correspondant incrédule.

— Oui, évidemment.

— L'Occident a pourtant mis plusieurs générations à atteindre son niveau actuel ! répond le journaliste, ébahi. Serez-vous en mesure de faire ce bond immense ?

— Évidemment. »

Au moment où cette interview me revient en mémoire, il n'y a plus de shah en Iran et je patauge dans une boue et un fumier invraisemblables au milieu de masures misérables dans un petit village de la région de Chiraz ; je suis assailli par une foule de gosses à moitié nus et transis de froid. Devant l'une des cabanes, une femme pétrit des galettes de bouse qui, une fois séchées, constitueront l'unique combustible (dans ce pays de gaz et de pétrole !) pour chauffer la maison. C'est donc en traversant ce triste village moyenâgeux et en me souvenant de cette interview que me vient à l'esprit la pensée la plus évidente qui soit : il n'est d'absurdité que l'esprit humain ne puisse inventer.

Mais revenons au shah qui s'enferme dans son palais d'où il promulgue des centaines de décrets censés réformer radicalement l'Iran, mais qui vont mener le pays à la catastrophe cinq ans après. Il ordonne de doubler les dépenses d'investissements, de lancer de gigantesques importations technologiques et de créer la troisième armée du monde. Il importe les équipements les plus modernes qu'il faut sans délai installer et mettre en marche. Les machines modernes produiront des articles modernes, l'Iran inondera le monde des produits les plus sophistiqués. Il ordonne encore la construction de centrales atomiques, d'usines électroniques, de fonderies et de fabriques de toutes sortes. Puis, comme l'hiver en Europe est délicieux, il part skier à Saint-Moritz. Mais la charmante et élégante résidence du shah à Saint-Moritz a soudain cessé d'être un havre de paix et un lieu de retraite. En effet, la rumeur sur le nouvel Eldorado a fait le tour du monde et suscité des émotions dans toutes les capitales. Le trésor iranien agit sur toutes les imaginations, tout le monde a immédiatement fait le calcul des bénéfices pouvant être amassés en Iran. Devant la résidence suisse du shah se forme une queue de Premiers ministres et hauts fonctionnaires de gouvernements respectables, riches, sérieux et illustres. Assis dans son fauteuil devant sa cheminée, le shah se frotte les mains et tend l'oreille au flot de propositions, d'offres et de déclarations. Il a désormais le monde entier à ses pieds. Devant lui, les têtes s'inclinent, les échines se courbent et les mains se tendent. Que voulez-vous, dit-il aux Premiers ministres et aux hauts fonctionnaires, comme vous ne savez pas gouverner, vous n'avez pas d'argent ! Il fait la leçon à Londres et à Rome, donne des conseils à Paris, sermonne Madrid. Le monde boit ses paroles avec humilité, avale toutes les couleuvres possibles et imaginables, car il est hypnotisé par l'éblouissante pyramide d'or qui s'amoncelle dans le désert iranien. Les ambassadeurs en poste à Téhéran ne savent plus où donner de la tête, car les chancelleries les inondent de télégrammes où il n'est question que d'argent : Combien le shah peut-il nous donner ? Quand et à quelles conditions ? Il a dit qu'il ne donnerait rien ? Que Votre Excellence insiste ! Nous offrons une garantie de service et une presse bienveillante de surcroît ! Finis l'élégance et le sérieux dans les antichambres des ministres les plus modestes du shah. Désormais on s'y presse et s'y bouscule, on se jette des regards fiévreux, on a les mains qui suent. Mais qui sont ces quémandeurs agglutinés, qui se tirent par la manche, s'agressent mutuellement en criant : « Faites la queue comme tout le monde ! » ? Présidents de multinationales, directeurs de grands trusts, délégations de sociétés et d'entreprises illustres, représentants de gouvernements plus ou moins respectables. L'un après l'autre, ils font des offres et des propositions, vantent les mérites de telle usine aéronautique, de telle usine automobile, de telle fabrique de téléviseurs ou de montres. En même temps que les grands seigneurs (en temps normal) du capital et de l'industrie mondiale, le menu fretin de la spéculation – escrocs en tous genres, experts en or et pierres précieuses, en discothèques et en strip-tease, en opium et en bars, en coupes au rasoir et en surf – afflue en Iran. [Venus à Téhéran pour créer une version iranienne de *Play boy*, un show dans le style de Las Vegas et des casinos plus éblouissants que ceux de Monte-Carlo, ils se bousculent à la frontière. Bientôt les rues de la capitale brilleront de panneaux publicitaires et d'enseignes : Jimmy's Night Club, Holiday Barber Shop, Best Food in the World, New York Cinema, Discreete Corner, exactement comme à Broadway ou Soho.] Trépignant et se bousculant dans les aéroports européens, ils restent indifférents aux tracts que des étudiants encapuchonnés tentent de leur glisser pour les informer que dans leur pays des gens meurent sous la torture, sont enlevés par la Savak sans qu'on sache s'ils sont encore en vie. Qu'est-ce que cela peut bien leur faire, à ces hommes d'affaires ? Ils ont l'occasion de s'en mettre plein les poches. Pourquoi laisser échapper un filon pareil ? D'autant que cette aubaine se produit sous l'égide de l'édification de la Grande Civilisation.

Entre-temps, le shah rentre de ses congés d'hiver, reposé et satisfait. Tout le monde le porte enfin aux nues, la presse mondiale parle de lui dans les meilleurs termes, vante ses mérites en soulignant sans relâche que la planète entière croule sous les soucis et les escroqueries tandis qu'en Iran c'est tout le contraire, les affaires marchent du feu de Dieu [, le pays tout entier prospère dans l'éclat du progrès et de la modernité, il faut donc y aller et prendre exemple sur ce pays, admirer comment son monarque éclairé, loin de se laisser décourager par la misère et l'obscurantisme, tire son peuple vers le haut afin de le débarrasser au plus vite de la pauvreté et de la superstition et le hisser au niveau de la France et de l'Angleterre sans jamais ménager sa peine].

« Votre Majesté, demande le correspondant du *Spiegel*, le modèle de développement que vous avez choisi vous semble-t-il correspondre aux critères de la modernité ?

— J'en suis convaincu », répond le shah.

Malheureusement, la satisfaction du monarque ne fera pas long feu. Le développement est, en effet, un grand fleuve perfide ; ceux qui ont été pris dans ses remous en savent quelque chose. À la surface de l'eau, la navigation est aisée et rapide, mais il suffit que le bateau soit manœuvré par un capitaine un peu étourdi et trop sûr de lui pour qu'il soit pris dans de dangereux tourbillons ou qu'il se heurte à des hauts-fonds insidieux. Plus le navire heurte des récifs, plus le visage du capitaine blêmit. Il a beau fredonner et siffloter pour se donner du courage, son cœur est déjà rongé par le ver de l'amertume et de la déception, car son navire a l'air de voguer mais il ne bouge plus, il a l'air d'avancer mais il fait du surplace, la proue s'est échouée sur un banc de sable. Cette prise de conscience se produira toutefois plus tard. Pour le moment, le shah a commandé au monde des équipements se chiffrant en milliards de dollars, des navires chargés de marchandises affluent de tous les continents. Mais quand ils atteignent le Golfe, il apparaît soudain que l'Iran n'a pas de ports (le shah n'était pas au courant). Ou plutôt il y a des ports, mais ils sont petits et n'ont pas la capacité pour réceptionner un fret de cette envergure. Des centaines de navires stationnent donc en mer en attendant leur tour, parfois pendant des mois et des mois. L'Iran doit payer des astreintes annuelles à hauteur d'1 milliard de dollars. Tant bien que mal, les cargos finissent toutefois par être déchargés, quand il apparaît soudain que l'Iran n'a pas d'entrepôts (le shah n'était pas au courant). Un million de tonnes de marchandises diverses et variées sont stockées en plein désert par une chaleur torride. La moitié des biens est bonne à jeter, car certaines denrées alimentaires et certains produits chimiques sont périssables. Ce qui reste doit être transporté à l'autre bout du pays, mais il apparaît soudain que l'Iran n'a pas de moyens de transport (le shah n'était pas au courant). Ou plutôt il y a bien quelques camions et remorques, mais c'est une goutte d'eau en regard des besoins. On importe donc deux mille semi-remorques d'Europe, quand il apparaît soudain que l'Iran n'a pas de camionneurs (le shah n'était pas au courant). À l'issue de multiples consultations, des avions vont chercher à Séoul des chauffeurs sud-coréens. Les semi-remorques se mettent en route pour livrer la marchandise. Mais les camionneurs, qui ont appris quelques mots de farsi, comprennent vite que leur salaire est deux fois moins élevé que celui des camionneurs iraniens. Scandalisés, ils abandonnent leurs semi-remorques et rentrent en Corée. Désormais inutiles, leurs véhicules restent en rade dans le désert, sur la route reliant Bandar Abbas à Téhéran, et sont peu à peu ensevelis sous les sables. Avec le temps, toutefois, grâce à l'aide de compagnies de transport étrangères, les usines et les équipements achetés à l'étranger finissent par arriver à bon port. Il est donc temps de procéder au montage. Mais il apparaît alors que l'Iran n'a pas d'ingénieurs ni de techniciens (le shah n'était pas au courant). Logiquement, quand on décide de créer une Grande Civilisation, on devrait commencer par les hommes, par la formation de spécialistes afin de constituer des cadres nationaux. Mais une telle idée est exclue ! Toute université est un guêpier, tout étudiant un rebelle, un agitateur, un libre penseur en puissance. Il n'est pas assez fou pour chercher le bâton qui le battra. Le shah a une autre solution : il maintient la plupart de ses étudiants à l'écart de l'Iran. À cet égard, son pays est un cas unique au monde. Plus de cent mille jeunes gens étudient en Europe et en Amérique. Cette méthode revient à l'Iran bien plus cher que la fondation d'universités nationales. Mais par ce moyen, le régime se garantit une paix et une sécurité relatives. La majorité de ces étudiants ne reviennent jamais au pays. Aujourd'hui encore, des villes comme San Francisco ou Hambourg comptent plus de médecins iraniens que les villes de Tabriz ou de Meshed. Les étudiants ne reviennent pas, malgré les généreux salaires que leur propose le shah : ils ont peur de la Savak et ne veulent plus baiser les pieds de quiconque. C'est la grande tragédie de ce pays. La dictature du shah et ses répressions ont condamné les élites iraniennes – ses plus grands écrivains, ses chercheurs et ses penseurs – à l'émigration, au silence ou aux fers. Il est plus facile de rencontrer un Iranien cultivé à Marseille ou à Bruxelles qu'à Hamadan ou Qazvin. Chez lui, un Iranien ne peut pas lire la littérature de ses écrivains cultes (ils ne sont publiés qu'à l'étranger), il ne peut pas regarder les films de ses meilleurs metteurs en scène (ces films sont interdits dans le pays), il ne peut pas écouter la voix de ses intellectuels (ils sont condamnés au silence). Par la volonté du shah, les gens doivent choisir entre la Savak ou les mollahs. Et, évidemment, ils choisissent les mollahs. Quand on parle de la chute d'une dictature – et le régime du shah a été une dictature particulièrement brutale et perfide –, il est inutile de se bercer d'illusions en s'imaginant que le système tout entier prendra fin en s'écroulant et disparaîtra comme un mauvais rêve. L'existence physique du système a pris fin, certes, mais ses conséquences psychiques et sociales demeurent, vivent et se font encore sentir pendant de longues années, elles peuvent même perdurer sous forme de comportements prolongés inconsciemment. En détruisant l'intelligentsia et la culture, la dictature laisse derrière elle un champ ravagé et mort où l'arbre de la pensée ne repoussera pas de sitôt. Or les graines qui germent des tréfonds de cette terre stérile, loin d'être les meilleures, sont souvent les plus rudes et les plus grossières. Ces graines ne sont pas celles qui produisent et créent des valeurs nouvelles, elles sont plutôt celles qui ont pu survivre grâce à l'épaisseur de leur gangue et la dureté de leur noyau. C'est ainsi que l'Histoire se trouve prise dans un cercle vicieux, un enchaînement tragique, et il faut parfois plus d'une génération pour qu'elle puisse s'en libérer.

Mais au lieu d'anticiper, revenons en arrière de quelques années, car nous avons déjà détruit la Grande Civilisation qu'il était tout d'abord question de bâtir. Or comment bâtir une « grande civilisation » quand il n'y a ni experts ni écoles pour un peuple pourtant avide de savoir ? Pour réaliser sa vision, le shah aurait dû engager sur-le-champ sept cent mille spécialistes au moins. Il va toutefois privilégier une solution plus simple et sûre : il va les faire venir de l'étranger. La sécurité est un argument de poids, car, de toute évidence, un étranger n'organisera pas de complot ni d'insurrection, il ne contestera ni ne critiquera la Savak, car ce qu'il veut avant tout, c'est faire son travail, gagner de l'argent et repartir chez lui.

Finalement, pour mettre un terme à toutes les révolutions dans le monde, il suffirait de faire construire le Paraguay par des Équatoriens ou l'Arabie Saoudite par des Indiens. Remuez, mélangez, déplacez, éparpillez, et vous aurez la paix. C'est ainsi que des dizaines de milliers d'étrangers se mettent à affluer vers l'Iran. À l'aéroport de Téhéran, les avions atterrissent les uns derrière les autres. Des Philippines débarquent des femmes de ménage, de Grèce des hydrauliciens, de Norvège des électriciens, du Pakistan des comptables, d'Italie des mécaniciens, des États-Unis des militaires. Les photos de cette époque montrent le shah en conversation avec un ingénieur venu de Munich, le shah en conversation avec un contremaître de Milan, le shah en conversation avec un grutier de Boston, le shah en conversation avec un technicien de Kouznetsk. Mais qui sont donc les quelques Iraniens qu'on voit là, sur la photo ? Ce sont des ministres et des agents de la Savak chargés de protéger le monarque. En revanche, les Iraniens qu'on ne voit pas sur la photo regardent tout cela avec des yeux de plus en plus écarquillés. Cette armée étrangère, du seul fait de sa compétence technique (elle sait sur quel bouton appuyer, quel levier utiliser, quel câble connecter), même si elle se conduit avec beaucoup d'humilité (c'est le cas notamment du petit groupe de spécialistes polonais), domine bon gré mal gré les Iraniens, elle leur inflige un complexe d'infériorité. L'étranger est compétent alors que, moi, je ne sais rien faire. Le peuple iranien est fier et hypersensible à tout ce qui touche à sa dignité. Un Iranien n'avoue jamais son incompétence, cela le couvre de honte, il déteste perdre la face. Il souffrira, sombrera dans la dépression et finira par haïr. Les Iraniens ont vite compris l'arrière-pensée du shah : restez donc à l'ombre de vos mosquées et continuez de faire paître vos brebis car, avant que vous soyez capables de quelque chose, il faudrait attendre un siècle, alors que moi je dois construire un empire planétaire avec les Américains et les Allemands. On comprend, dès lors, pourquoi les Iraniens interprètent la Grande Civilisation comme une grande humiliation. [Ce n'est toutefois qu'un aspect du problème. Dès le début, des rumeurs circulent en effet sur les salaires perçus par ces spécialistes. Il ne faut pas oublier qu'on est dans un pays où 10 dollars représentent une fortune pour beaucoup de paysans (un paysan touche 5 % du prix de vente de sa marchandise sur un marché urbain). Mais c'est la rémunération des officiers américains invités par le shah en Iran qui va susciter le plus grand choc. Elle s'élève parfois à 150 000 ou 200 000 dollars annuels. Après quatre années de service en Iran, un officier repart chez lui avec un demi-million de dollars ou plus en poche. Les ingénieurs sont moins bien lotis, mais les Iraniens prennent comme référence les plus hauts salaires américains. On peut imaginer l'état d'esprit d'un Iranien moyen qui n'arrive pas à joindre les deux bouts, vénère le shah et sa « civilisation », et qui se voit constamment bousculé, sermonné, raillé dans sa propre patrie par tous ces étrangers qui, même s'ils ne le montrent pas ouvertement, sont convaincus de leur supériorité. Il faut tout de même reconnaître que c'est grâce à l'aide étrangère qu'une partie des usines ont été construites. Quand il est soudain apparu qu'il n'y avait pas d'électricité (le shah n'était pas au courant). Comment le shah pouvait-il être au courant puisque, d'après les statistiques à sa disposition, il y avait de l'électricité. Ce qui n'était pas faux, seulement les chiffres fournis par les statistiques indiquaient qu'il y en avait deux fois plus que dans la réalité.

En attendant, le shah a déjà le couteau sous la gorge, il veut absolument exporter des produits industriels pour la bonne raison que non seulement il a dilapidé son immense fortune jusqu'au dernier sou mais qu'il est de plus en plus souvent obligé d'emprunter à droite et à gauche. Pourquoi le pays emprunte-t-il de l'argent ? Parce qu'il doit acheter des actions de grands trusts américains, allemands et autres. Mais est-ce vraiment nécessaire ? Oui, c'est indispensable parce que le shah doit gouverner le monde. Depuis plusieurs années, le shah donne des leçons à la Terre entière, il dispense des conseils aux Suédois et aux Égyptiens, mais maintenant il a vraiment besoin de moyens. Les villages iraniens pataugent dans la boue et sont chauffés à la bouse de vache, mais quelle importance du moment que le shah continue d'être habité par des ambitions planétaires !]

PHOTOGRAPHIE (11)

Ce n'est pas une photographie, mais une reproduction d'une peinture à l'huile où un panégyriste a représenté le shah dans une pose napoléonienne (il s'est inspiré d'un tableau où l'empereur français dirige l'une de ses plus grandes batailles). La photo a été divulguée par le ministère de l'Information iranien (*i.e.* : la main de la Savak), elle a donc dû recevoir l'aval du monarque qui adore ce genre de comparaison. L'uniforme bien taillé de Mohammad Reza met en valeur sa mince silhouette sportive et rutile sous la profusion de décorations et de fourragères réparties avec ingéniosité sur sa poitrine. Le tableau nous présente le shah dans son rôle favori : chef des armées. Certes, le monarque se soucie du bien-être de ses sujets, il se préoccupe du développement accéléré, etc., mais ce sont des tâches pénibles pour le père du peuple alors que son véritable hobby, sa vraie passion, c'est l'armée. Ce grand amour n'est toutefois pas complètement désintéressé. L'armée a toujours été le principal soutien du trône. Au fil des ans, elle deviendra son seul et unique appui. Dès que l'armée s'est désagrégée, le shah a cessé d'exister. J'hésite toutefois à employer le terme « armée », car il peut prêter à confusion. Dans notre tradition, l'armée est un lien avec le peuple qui verse son sang pour la liberté universelle, défend les frontières, lutte pour l'indépendance, remporte des victoires en brandissant l'étendard de la révolte ou essuie des défaites tragiques qui annoncent des années de souffrance.

Ce type d'armée n'a rien à voir avec celle des deux shahs Pahlavi. La seule fois où l'armée des shahs aurait pu jouer son rôle de défenseur de la patrie, c'était en 1941, mais à la vue du premier soldat étranger, elle a battu en retraite et a pris la poudre d'escampette. En revanche, avant et après, cette armée a fait volontiers la démonstration de sa force dans des conditions tout à fait différentes, en massacrant notamment des minorités nationales (souvent sans armes) et des manifestants, sans armes non plus. En un mot, cette armée n'est rien d'autre qu'un instrument de terreur intérieure, une espèce de police encasernée. [Alors que l'histoire de nos armées est jalonnée de grandes batailles : Grunwald, Cecora, Racławice, Olszynka-Grochowska, celle de l'armée de Mohammad Reza l'est par les grands massacres perpétrés contre son propre peuple : Azerbaïdjan (1946), Téhéran (1963), Kurdistan (1967), Iran tout entier (1978)...] C'est pourquoi le peuple suit avec horreur et épouvante le développement de l'armée, considérant que, pour le shah, elle tient lieu de fouet qui, d'un jour à l'autre, peut cingler et s'abattre douloureusement sur son dos. Même la séparation entre l'armée et la police (dont il existait huit catégories) a un caractère purement formel. À la tête de toutes ces polices se tiennent des généraux de l'armée, les hommes les plus proches du shah. L'armée a tous les droits et tous les privilèges, comme la Savak. (Après mes études en France, je suis rentré en Iran, m'a raconté un médecin. Avec ma femme, nous sommes allés au cinéma et nous nous sommes mis dans la file d'attente. Un sous-officier a surgi, il est passé devant tout le monde et a acheté son billet. Je lui ai fait une remarque. Il s'est alors approché de moi et m'a giflé. J'ai failli réagir mais j'ai ravalé mon indignation, car dans la file les gens m'ont mis en garde : la moindre protestation pouvait se terminer par la prison.) À toute autre tenue, le shah préfère donc l'uniforme et il consacre le plus clair de son temps à son armée. Depuis longtemps, son passe-temps favori consiste à consulter la presse spécialisée dans les nouveaux types d'armement et faisant la publicité de diverses usines et fabriques militaires (ces revues sont publiées à profusion en Occident). Mohammad Reza est abonné à toutes ces publications et il les lit avec dévotion. Pendant des années, n'ayant pas les moyens de s'acheter tous les joujoux meurtriers qui le fascinent, il se contente de rêver et d'espérer que les Américains lui donneront tel char ou tel avion. Les Américains lui font effectivement beaucoup de cadeaux, mais hélas ! il se trouve toujours un sénateur pour faire un scandale et reprocher au Pentagone de trop gâter le shah. Les livraisons cessent alors pour un certain temps. Mais maintenant que le shah est submergé de pétrodollars, finis les soucis ! Il commence par diviser en deux la mirobolante somme de 20 milliards de dollars (annuels) : 10 milliards pour l'économie, 10 pour l'armée (il convient de préciser que la population représente à peine 1 % de l'armée).

Puis, le monarque s'enfonce encore plus dans la lecture de revues et catalogues militaires. Téhéran inonde le monde de commandes abracadabrantes. Combien de chars possède la Grande-Bretagne ? – 1 500. – Bon, j'en commande 2 000, réplique le shah. Combien de pièces d'artillerie possède la Bundeswehr ? – 1 000. – Bon, livrez-nous-en 1 500. Pourquoi plus que la British Army ou que la Bundeswehr ? Parce que nous devons avoir la troisième armée du monde. Il est fort regrettable que nous ne puissions pas occuper la première ou la deuxième place, mais la troisième, nous l'aurons sans problème, c'est obligé !

De nouveau, des navires, des avions, des semi-remorques affluent vers l'Iran, chargés d'armes du dernier cri. L'Iran se mue peu à peu en un immense parc d'exposition d'armes et de matériel militaire (car autant la fabrication d'usines est un souci, autant la livraison de blindés marche à plein régime). Exposition, c'est bien le mot, car le pays ne possède ni magasins ni entrepôts ni hangars pour stocker et préserver tous ces équipements. Le spectacle est hallucinant. Sur la route de Chiraz à Ispahan, on peut voir aujourd'hui des centaines d'hélicoptères abandonnés dans le désert. Les appareils inertes sont petit à petit recouverts par les sables. [Il n'y a personne pour surveiller cette zone, mais à quoi bon puisqu'il n'y a personne pour faire voler les hélicoptères. Dans la région de Qom, on peut voir des champs entiers de canons abandonnés ; près d'Ahwaz des champs entiers de blindés abandonnés. Mais n'anticipons pas ! Pour le moment, Mohammad Reza est encore à la tête de l'Iran et il a un programme extrêmement chargé. L'arsenal du monarque ne cesse en effet de croître et de s'enrichir : roquettes, radars, chasseurs, blindés. Tous ces équipements sont en nombre incalculable. En une année à peine, le budget militaire de l'Iran a été quintuplé, il est passé de 2 à 10 milliards de dollars, le shah envisage même de l'augmenter encore prochainement. Le monarque va et vient, inspecte, examine, touche. Il reçoit des comptes rendus, des rapports, écoute des explications : à quoi sert ce levier ? que se passe-t-il si l'on appuie sur ce bouton rouge ? Il écoute, opine du bonnet. Mais les visages des instructeurs, protégés par les visières des casques, sont étranges, certains sont très blancs, avec une barbe claire, d'autres complètement noirs. Comment pourrait-il en être autrement puisque ce sont des Américains ! Il faut bien des pilotes pour piloter les avions, il faut bien des spécialistes pour diriger les radars, pour fixer les hausses. Or on sait que l'Iran n'a pas beaucoup de cadres techniques ni dans le civil ni dans l'armée. En achetant les équipements les plus sophistiqués, le shah a dû faire venir des experts militaires américains qui lui coûtent les yeux de la tête. Au cours de l'année écoulée, près de quarante mille spécialistes ont débarqué en Iran. Un nom sur trois est américain sur les fiches de paie militaires. Les officiers iraniens qui bénéficient d'innombrables formations techniques se comptent sur les doigts de la main. Mais même l'armée américaine ne dispose pas d'un nombre suffisant d'experts pour le shah. Un jour, en feuilletant un catalogue d'usines d'armement, le monarque tombe en extase devant un contre-torpilleur Spruance. Le prix d'un seul exemplaire s'élève à 338 millions de dollars. Le shah en commande aussitôt quatre. Les chasseurs arrivent par bateau à Bandar Abbas, mais à peine arrivé, l'équipage américain doit rebrousser chemin, car les États-Unis eux-mêmes manquent de personnel. Aujourd'hui encore, ces chasseurs se dégradent dans le port de Bandar Abbas.

Un autre jour, le shah s'emballe pour un prototype de bombardier F-16. Il en commande aussitôt un lot important. Mais les Américains sont dans la dèche, ils viennent de décider de renoncer à la production du bombardier, car son prix leur paraît trop élevé : 26 millions de dollars l'unité. Heureusement le shah sauve l'affaire en volant au secours de ses amis nécessiteux. Il leur envoie une commande de cent soixante avions en joignant un chèque de 3,8 milliards de dollars. Pourquoi donc ne pas déduire de cette somme mirobolante un petit million pour acheter des autobus pour la ville de Téhéran ? Les habitants de la capitale passent des heures dans les transports. Des autobus municipaux ? Quelle mesquinerie ! Quelle platitude ! Quelle médiocrité ! Ou alors pourquoi ne pas déduire de ces milliards un petit million pour installer des puits dans des villages iraniens ? Des puits ? Qui ira là-bas pour les regarder ? Ces villages sont perchés dans les montagnes, au bout du monde, personne n'aura l'idée d'aller les visiter et les admirer.

Supposons que nous fassions un album montrant l'Iran comme cinquième puissance mondiale et que nous y placions la photo d'un village avec un puits. Les Européens ne vont rien comprendre. Un village avec un puits ne peut pas leur parler. En revanche, si nous mettons une photo du monarque posant devant une rangée d'avions à réaction (ce genre de photo est très répandu), tout le monde hochera la tête avec admiration et dira : Le shah a vraiment réussi un tour de force, il faut bien l'avouer !

En attendant, Mohammad Reza est à son quartier général. Un mur de son bureau est occupé par une impressionnante carte du monde. À une certaine distance de la carte se trouve un fauteuil ample et profond, à côté une petite table avec trois téléphones. Il est intéressant de noter qu'il n'y a pas d'autre mobilier dans la pièce. Il n'y a pas d'autres fauteuils, pas de chaises. Le monarque y séjourne seul. Il s'assoit dans son fauteuil et contemple la carte : les îles dans le détroit d'Ormuz — elles sont déjà conquises et envahies par son armée ; Oman — ses divisions occupent le pays ; la Somalie — il a accordé une aide militaire aux dirigeants somaliens ; le Zaïre — il a aidé les dirigeants de ce pays-là aussi, comme il a accordé des crédits à l'Égypte et au Maroc ; l'Europe — il y possède des capitaux, des banques, des actions dans des multinationales ; l'Amérique — il y détient beaucoup d'actions et a donc son mot à dire. L'Iran se développe, grossit, gagne des positions sur tous les continents. L'océan Indien ? Oui, le moment est venu de renforcer son influence dans l'océan Indien. Le shah consacre de plus en plus de temps à ce dossier.]

PHOTOGRAPHIE (12)

Un avion de la Lufthansa à l'aéroport Mehrabad de Téhéran. On dirait une publicité, mais à quoi pourrait bien servir une publicité puisque les places sont toujours réservées à l'avance ? Cet avion décolle tous les matins de Téhéran et atterrit à midi à Munich où des limousines, elles aussi réservées, emmènent les passagers déjeuner dans d'élégants restaurants de la ville. Après le déjeuner, le même avion ramène son beau monde à Téhéran où un dîner les attend à la maison. Cette distraction ne revient pas très cher : 2 000 dollars par personne. Pour les gens se trouvant dans les bonnes grâces du shah, c'est une somme dérisoire. Ceux qui vont déjeuner à Munich font d'ailleurs plutôt partie de la plèbe du palais. Les courtisans un peu plus haut placés ne sont pas toujours disposés à supporter la fatigue d'une expédition aussi lointaine. Ils ont droit, eux, à un déjeuner avec cuisiniers et serveurs de chez Maxim's, livré par un avion de la compagnie Air France. Mais même ces caprices ne coûtent presque rien comparés aux fortunes colossales que Mohammad Reza et ses hommes amassent. Aux yeux de l'Iranien moyen, la Grande Civilisation, autrement dit la Révolution blanche est synonyme de Grand Pillage. L'élite entière s'y livre. Tous ceux qui sont au pouvoir volent. Si l'on est en poste et qu'on ne se sert pas au passage, on crée un vide autour de soi, on est suspect, on passe pour un espion chargé d'épier et de moucharder combien un tel a détourné, renseignements qui peuvent servir à des ennemis. À la première occasion, les gens en place se débarrassent du trouble-fête. Ainsi, tout est à l'envers, les valeurs sont sens dessus dessous. Celui qui est honnête passe pour un indicateur. Celui qui a les mains propres doit les garder profondément enfouies dans ses poches, la propreté étant considérée comme une tare honteuse et ambiguë. Plus le poste occupé est élevé, plus les poches sont pleines. Si l'on veut construire une usine, créer une société ou cultiver du coton, on est obligé d'en offrir une partie à la famille du shah ou à un dignitaire. Et on le fait sans état d'âme, car l'affaire ne peut marcher que si l'on a le soutien du palais. Tout obstacle est surmontable grâce à l'argent et aux relations. Il suffit de soudoyer, puis d'utiliser ses relations pour accroître encore sa fortune. Il est difficile d'imaginer les flots d'argent qui se déversent dans les caisses du shah, de sa famille et de toute l'élite du palais. La famille du shah perçoit des pots-de-vin à hauteur de 100 millions de dollars. À l'intérieur du pays, elle détient un capital compris entre 3 et 4 milliards de dollars, mais le plus gros de sa fortune se trouve dans des banques étrangères. Les Premiers ministres et les généraux empochent des bakchichs estimés entre 20 et 50 millions de dollars. Plus on descend dans la hiérarchie, moins il y a d'argent, mais il y en a toujours ! Les prix augmentent avec les dessous-de-table. Les gens simples se plaignent qu'une partie croissante de leurs revenus sert à nourrir l'ogre de la corruption. Jadis, en Iran, il existait une coutume selon laquelle les fonctions étaient vendues aux enchères. Le shah annonçait un prix de base pour un poste de gouverneur, par exemple, et c'était le plus offrant qui le décrochait. Une fois installé dans ses fonctions, le fonctionnaire s'appliquait à plumer ses administrés afin de récupérer (avec intérêts) l'argent que le shah lui avait pris. Cette coutume se retrouve ressuscitée sous une autre forme. Le monarque achète les gens en les envoyant négocier de gros contrats, militaires pour la plupart. [Pour eux, c'est l'occasion de toucher de coquettes commissions dont une partie revient à la famille du monarque. C'est le paradis pour les généraux (l'armée et la Savak accumulent des fortunes colossales sous le couvert de la Grande Civilisation). Les généraux se remplissent les poches sans la moindre gêne. Le contre-amiral Ramzi Abbas Atai, patron de la marine militaire, se sert de sa flotte pour faire de la contrebande de Dubaï en Iran. Les frontières maritimes iraniennes étant mal surveillées, le contre-amiral passe son temps à charger à bord de ses navires stationnés dans le port de Dubaï des voitures japonaises.

Absorbé par l'édification de la cinquième puissance mondiale, de la Révolution blanche, de la Civilisation et du Progrès, le shah n'a pas le temps de se consacrer à de telles mesquineries. Il n'a pas besoin de se casser la tête pour gérer sa fortune qui se chiffre rn milliards de dollars. Le shah est en effet le seul homme à avoir un œil sur l'intendance de la Compagnie nationale iranienne du pétrole, autrement dit il est le seul à décider de la répartition des pétrodollars, la frontière entre le Trésor public et la fortune du monarque étant floue et mouvante. Ajoutons que malgré la masse d'obligations qui lui incombent, le shah n'oublie à aucun instant sa cassette personnelle et il pille son pays de toutes les manières possibles et imaginables. Mais que deviennent les énormes sommes d'argent accumulées par les favoris du shah ? Le plus souvent, ceux-ci placent leur fortune dans des banques étrangères. Dès 1958, un scandale éclate au Sénat américain ; un député révèle que l'argent donné par l'Amérique pour aider le pays pauvre qu'est l'Iran revient aux États-Unis sous forme de versements sur des comptes bancaires privés du shah, de sa famille ou de ses proches. Toutefois, à partir du moment où l'Iran se lancera dans sa fantastique aventure pétrolière, c'est-à-dire au moment des grandes hausses des prix, plus aucun sénateur n'aura le droit de s'ingérer dans les affaires intérieures du royaume, et le flot de dollars pourra tranquillement affluer du pays vers des banques étrangères mais néanmoins amies. Chaque année, l'élite iranienne place plus de 2 milliards de dollars sur des comptes bancaires étrangers ; pendant la Révolution blanche elle en place plus de

4 milliards. Ce pillage de la nation – car il ne s'agit de rien d'autre – prend des proportions inouïes. Chacun peut sortir l'argent qu'il veut, sans le moindre contrôle ni la moindre restriction, il suffit de remplir un chèque. Mais ce n'est pas tout, car les capitaux fuient aussi pour être aussitôt dépensés en cadeaux ou en divertissements, ou alors en achats immobiliers : rues entières d'immeubles et de villas, dizaines d'hôtels, d'hôpitaux privés, de casinos et de restaurants ; à Londres ou à Francfort, à San Francisco ou sur la Côte d'Azur.] Ces faramineuses masses d'argent permettent au shah de donner naissance à une nouvelle classe, inconnue des historiens et des sociologues : la pétro-bourgeoisie. Il s'agit d'un phénomène social peu ordinaire, car cette classe ne produit rien. Son unique occupation consiste à consommer sans retenue. Pour y accéder, on n'emprunte pas la voie de la lutte sociale (contre le féodalisme) ni celle de la concurrence (industrielle ou commerciale). Il s'agit simplement de batailler pour entrer dans les bonnes grâces du shah, la promotion pouvant s'opérer en un jour, une minute, une seconde. Il suffit d'un mot du monarque, de sa signature. Est promu celui qui est le plus avantageux pour le shah, qui sait le flatter avec le plus de zèle et de talent, qui peut le convaincre de sa loyauté et de sa soumission, toutes les autres valeurs et vertus étant superflues. C'est une classe de parasites qui s'approprie rapidement une part substantielle des revenus pétroliers de l'Iran et devient propriétaire du pays. Tout leur est permis, car ces gens assouvissent

le besoin le plus vital du shah, celui de la flagornerie. Ils lui donnent aussi le sentiment de sécurité auquel il aspire tant. Désormais le shah est entouré d'une armée redoutable et d'une foule de courtisans qui poussent des cris d'enthousiasme dès qu'il paraît. Il ne se rend toutefois pas encore compte à quel point tout cela est illusoire, faux et fragile. [Pour le moment c'est le règne de la pétro-bourgeoisie (curieux mélange de hauts fonctionnaires, militaires et civils, de courtisans et de leurs familles, du gratin de la spéculation et de l'usure ainsi que de toute une masse d'individus louches, interlopes, sans profession ni poste, mais avec une position, une fortune et des relations. « C'est un homme du shah ! » me répond-on quand je pose des questions sur l'un d'eux). Ce qui caractérise cette classe et qui suscite une fureur particulière au sein d'une société si profondément attachée à ses traditions ancestrales, c'est qu'elle tourne le dos à son identité nationale. Ces hommes s'habillent à New York ou à Londres (les dames plutôt à Paris), ils passent leur temps libre dans des clubs américains de Téhéran, leurs enfants étudient à l'étranger.] La sympathie dont jouit cette classe en Europe et en Amérique est proportionnelle à l'antipathie qu'elle suscite chez ses compatriotes. Dans ses élégantes villas, elle reçoit des hôtes étrangers venus visiter l'Iran, dont elle modèle l'opinion sur le pays (qu'elle-même ne connaît pas toujours). Elle mène un mode de vie mondain, cosmopolite et parle les langues européennes. N'est-ce pas une bonne raison pour que les Européens cherchent le contact avec elle ? Mais ces rencontres sont trompeuses. L'Iran authentique, qui va bientôt prendre la parole et surprendre le monde entier, est très éloigné de ces villas. Guidée par l'instinct de conservation, cette classe pressent que sa carrière est aussi clinquante qu'éphémère. C'est pourquoi, assise sur ses valises, elle amasse de l'argent à l'étranger et achète des biens en Europe et en Amérique. Comme elle a beaucoup d'argent, elle peut aussi s'assurer un train de vie confortable chez elle. À Téhéran, des quartiers luxueux dont le confort et la richesse éblouissent les visiteurs poussent comme des champignons. Le prix des maisons peut atteindre des millions de dollars. Elles sont construites à deux pas de quartiers où des familles entières s'entassent dans quelques mètres carrés, sans eau ni électricité. Si au moins cette consommation obscène, cette grande bouffe, se déroulait dans le silence et la discrétion – une fois qu'on a tout raflé, on se planque, les gens n'y verront que du feu. On fait la fête en prenant soin de tirer les rideaux. On se fait construire des baraques, mais au fond des bois afin de ne pas attiser les jalousies ! –, mais non, pensez donc ! Ici, l'usage veut qu'on éblouisse et qu'on étourdisse, que tout soit étalé au vu et au su de tout le monde, que les lumières soient allumées en grand, qu'on aveugle, qu'on mette à genoux, qu'on écrase, qu'on pulvérise ! À quoi bon avoir de l'argent sinon ? Pour en profiter en douce, en cachette, en catimini ? Il paraît que… On raconte que… Mais on ne sait ni où, ni comment. Non ! Si l'on a de l'argent, on l'assume entièrement ! Être riche, c'est le claironner, le crier sur les toits, appeler les gens à venir voir et admirer ! Qu'ils en prennent plein les mirettes ! Ainsi, sous les yeux de la foule silencieuse et de plus en plus hostile, la nouvelle classe étale une *dolce vita* à l'iranienne, débridée, vorace, cynique. Elle ne se rend pas compte qu'elle est en train d'allumer l'incendie où elle périra avec son créateur et protecteur.

PHOTOGRAPHIE (13)

C'est une reproduction d'une caricature faite par un dessinateur de l'opposition. Elle représente une rue de Téhéran où circulent de grosses limousines américaines. Sur le trottoir, les gens les regardent passer, l'air désenchanté. Chaque passant tient à la main une pièce détachée ; qui une poignée de portière, qui une courroie de ventilateur, qui un levier de vitesse. Sous le dessin, on peut lire la légende suivante : « À chacun sa Peykan ! » (une marque de voiture bon marché en Iran). Quand le shah fit fortune, il avait promis que chaque Iranien pourrait s'acheter une auto. La caricature illustre la manière dont cette promesse a été tenue. Dominant la rue, le shah est assis sur un nuage, l'air courroucé. Au-dessus de sa tête, une inscription explique que Mohammad Reza est furieux contre son peuple qui se montre incapable de reconnaître les bienfaits du progrès. C'est un dessin intéressant qui témoigne de l'interprétation que les Iraniens faisaient de la Grande Civilisation, synonyme pour eux de Grande Injustice. Leur société, qui n'avait certes jamais connu l'égalité, était maintenant ravinée par des gouffres d'une profondeur inédite. Certes, les shahs avaient de tout temps possédé plus que les autres, mais il était difficile de les considérer comme des millionnaires. Ils devaient vendre des concessions pour maintenir leur cour à un niveau de vie respectable. Nassereddin shah était tellement endetté dans les bordels parisiens que, pour s'acquitter de ses dettes et pouvoir revenir dans sa patrie, il avait dû vendre à la France le droit de fouiller les sites archéologiques situés en Iran et de s'approprier toutes les antiquités trouvées. Mais c'était le passé. Dans les années 1970, l'Iran est devenu extrêmement riche. Que fait alors le shah ? Il donne une partie du magot à l'élite, une moitié à l'armée et le reste au développement. Mais que signifie ce mot ? Le développement n'est pas un concept neutre et abstrait, il se fait toujours au nom d'un principe ou d'un homme. Le développement peut enrichir la société et lui donner une vie meilleure, plus libre, plus juste, mais il peut aussi signifier le contraire. C'est notamment le cas des systèmes autocratiques où l'élite identifie ses intérêts à ceux de l'État (son instrument de domination) et où le développement, tout en renforçant l'État et son appareil de répression, favorise la dictature, l'esclavage, la stérilité, la médiocrité, la vacuité. C'est ce type de développement qui fut vendu en Iran dans un emballage clinquant appelé Grande Civilisation. Peut-on s'étonner que les Iraniens se soient soulevés et aient détruit ce modèle au prix de lourds sacrifices ? [S'ils ont réagi de la sorte, ce n'est pas parce qu'ils étaient incultes et arriérés (je parle du peuple et non pas de quelques fanatiques), mais au contraire parce qu'ils étaient sages et intelligents et qu'ils comprenaient ce qui se passait autour d'eux. Ils comprenaient que quelques années supplémentaires de Grande Civilisation les étoufferaient, voire les anéantiraient en tant que peuple. La lutte contre le shah (autrement dit contre la dictature) n'a pas fait entrer en scène uniquement Khomeyni et les mollahs. Cela, c'était la propagande, somme toute habile, de la Savak, selon laquelle les obscurs mollahs avaient détruit l'œuvre éclairée et progressiste du shah. Non ! Ce combat a surtout été mené par la fleur de l'intelligence, de la conscience, de l'honneur, de la probité et du patriotisme iraniens, les ouvriers, les écrivains, les étudiants, les chercheurs. Ce sont surtout eux qui ont péri dans les prisons de la Savak. Ils ont été les premiers à prendre les armes pour lutter contre la dictature. Car, dès le début, la Grande Civilisation s'accompagne de deux phénomènes qui vont connaître une ampleur inédite dans ce pays : l'augmentation des répressions policières et de la terreur d'un côté, de l'autre la multiplication des grèves ouvrières et étudiantes ainsi que la naissance d'une puissante résistance.

Celle-ci est dirigée par des fedayin iraniens (qui, soit dit en passant, n'ont rien à voir avec les mollahs, lesquels, au contraire, les combattent). En Iran, cette résistance est bien plus active que dans de nombreux pays d'Amérique latine. Mais le monde ignore son existence, car du moment que le shah fait gagner de l'argent aux gens, ils sont satisfaits. Les résistants sont des médecins, des étudiants, des ingénieurs, des poètes, les prétendus obscurantistes iraniens qui luttent contre les « lumières » du shah et la modernité de leur État, loué et admiré de tous. Pendant cinq ans, des centaines de résistants iraniens meurent dans la lutte, d'autres centaines succombent dans les tortures de la Savak. À la même époque, ni Somoza ni Stroessner n'ont sur la conscience un bilan aussi tragique. De tous ceux qui ont créé la résistance iranienne, qui ont été ses chefs et ses terroristes, qui ont dirigé les fedayin, les moudjahidin et autres groupes de résistance, nul n'a survécu.]

NOTE (6)

Un chiite, c'est en premier lieu un opposant acharné. À l'origine, les chiites constituaient un petit groupe d'amis et de partisans d' 'Ali, gendre de Mahomet et mari de sa fille préférée, Fatima. Après la mort de Mahomet, qui n'avait pas laissé d'héritier mâle et n'avait pas clairement nommé de successeur, les musulmans se disputèrent pour savoir qui serait le successeur du Prophète et le guide (le calife) des croyants en Allah, autrement dit le personnage le plus important dans le monde islamique. Le parti (c'est justement ce que signifie le mot « chī'a ») d' 'Ali soutenait son chef en affirmant qu'il était l'unique représentant de la famille du Prophète, puisqu'il était le père de deux petits-fils de Mahomet, Hassan et Hussein. Toutefois, pendant vingt-quatre ans, la majorité sunnite musulmane ignora la voix des chiites en élisant trois califes successifs : Abou Bakr, Omar et Othman. Finalement 'Ali accéda au califat, mais pour cinq ans seulement, car il fut tué, le crâne fendu par un coup de sabre empoisonné. Ses deux fils disparurent aussi, Hassan fut empoisonné et Hussein tomba au champ d'honneur. La mort des descendants d' 'Ali priva les chiites de toute prétention au pouvoir (qui revint à la dynastie sunnite des Omeyyades, puis à celle des Abbassides, enfin à celle des Ottomans). Le califat qui, selon les préceptes du Prophète, devait être une institution simple et modeste, se transforma en monarchie héréditaire. Face à cette situation, les chiites plébéiens, pieux, misérables, horrifiés par le style tapageur des califes victorieux, entrèrent en opposition.

Cette histoire a beau avoir eu lieu au milieu du VIIᵉ siècle, elle reste vivante dans les mémoires et continue de nourrir les passions. En parlant de sa foi, un chiite pieux revient constamment à ces temps immémoriaux et, les larmes aux yeux, raconte dans tous les détails le massacre de Karbala au cours duquel Hussein fut décapité. Sceptique et en même temps ironique, l'Européen pense alors : « Mon Dieu, quelle importance cela peut-il avoir ? » S'il a le malheur de dire tout haut sa pensée, il provoque la colère et la haine du chiite.

Au fond, le destin des chiites est tragique à maints égards. Ce sentiment de tragédie, de préjudice historique et de malheur constant est profondément ancré dans leur conscience. Il existe sur terre des communautés qui, depuis des siècles, sont poursuivies par la malchance, qui n'ont pas réussi à maîtriser leur destin, qui ont toujours vu s'éteindre la moindre lueur d'espoir, qui n'ont jamais été poussées par des vents favorables, bref des peuples apparemment marqués par le destin. C'est le cas des chiites. Peut-être est-ce la raison pour laquelle ils donnent l'impression d'être mortellement sérieux, tendus, pointilleux sur leur bon droit et encore plus sur les principes. Tristes aussi.

Dès que les chiites (qui constituent à peine un dixième des musulmans, les autres étant sunnites) entrent en opposition, les persécutions à leur encontre commencent. Jusqu'à aujourd'hui, ils gardent le souvenir des siècles de massacres dont ils ont été victimes. Ils s'enferment dans des ghettos, ne sortent plus de leur communauté, communiquent entre eux à l'aide de signes qu'ils sont seuls à comprendre et mettent au point des formes de comportements conspirateurs. Mais les coups continuent de s'abattre sur leurs têtes.

Les chiites sont insolents, se distinguant par là même de la majorité sunnite plus soumise, ils s'opposent au pouvoir officiel (qui, depuis la période puritaine de Mahomet, baigne dans le faste et la richesse), ils luttent contre l'orthodoxie dominante et ne peuvent donc pas être tolérés.

Petit à petit, ils partent en quête de lieux plus sûrs, leur offrant une plus grande chance de survie. En ces temps où les communications sont lentes et difficiles, où les distances et l'espace offrent des possibilités efficaces pour s'isoler, se séparer, les chiites tentent de s'éloigner le plus possible du centre du pouvoir (qui se trouve à Damas, puis à Bagdad). Ils se dispersent de par le monde, errent dans les montagnes et le désert, s'enfonçant pas à pas dans la clandestinité. C'est ainsi que naît une diaspora qui existe encore aujourd'hui. L'épopée des chiites, pleine d'actes de renonciation, de courage et de force spirituelle pourrait faire l'objet d'un livre. Quelques-unes des communautés chiites errantes se dirigent vers l'est. Elles traversent le Tigre et l'Euphrate, passent par-delà les montagnes de Zagros et atteignent le plateau désertique iranien.

Épuisé et dévasté par des guerres séculaires contre Byzance, l'Iran vient d'être conquis par les Arabes qui commencent à propager leur nouvelle foi, l'islam. Le processus de conversion se produit avec lenteur et dans un climat de lutte. Jusqu'alors, les Iraniens avaient une religion officielle (le zoroastrisme), liée au régime dominant (les Sassanides) ; désormais on essaie de leur imposer une autre religion officielle liée à

131

un régime dominant nouveau (et étranger de surcroît), l'islam sunnite. Pour eux, cela revient un peu à tomber de Charybde en Scylla.

Or c'est justement à ce moment-là que les chiites, exténués, misérables, malheureux, marqués par les brûlures de l'enfer vécu, font leur apparition en Iran. Les Iraniens apprennent que ces chiites sont des musulmans, en outre les seuls musulmans légitimes (comme ils l'affirment eux-mêmes), les seuls gardiens d'une foi pure pour laquelle ils sont prêts à donner leur vie. D'accord, et vos frères arabes ? demandent les Iraniens – Nos frères ? s'indignent les chiites, mais ce sont des sunnites, des usurpateurs, des persécuteurs. Ils ont assassiné 'Ali et ont pris le pouvoir. Non, nous ne les reconnaissons pas. Nous sommes dans l'opposition ! Les chiites demandent alors une cruche d'eau fraîche et la permission de se reposer après un long et pénible voyage.

Les déclarations des nouveaux arrivants aux pieds nus font réfléchir les Iraniens. Ah bon ! Cela veut donc dire qu'on peut être musulman sans être forcément fidèle au régime. Mieux encore, les propos de ces vagabonds laissent entendre qu'on peut être un musulman dans l'opposition ! Qu'on n'en est même que meilleur musulman ! Ces chiites pauvres, lésés, leur plaisent décidément beaucoup. À cette époque, les Iraniens sont pauvres eux aussi et eux aussi se sentent lésés. Ils sont ruinés par la guerre et leur pays est gouverné par un envahisseur. Ils trouvent donc vite un langage commun avec les chiites bannis en quête d'abri et d'hospitalité, commencent à écouter leurs prêcheurs et à se convertir à leur foi.

Cette habile manœuvre que les Iraniens sont en train d'exécuter illustre toute leur intelligence et leur liberté d'esprit. Les Iraniens ont un talent particulier pour sauver leur indépendance dans des conditions de dépendance. Pendant des centaines d'années, l'Iran a été victime de conquêtes, d'agressions, de partitions, pendant des siècles le pays a été gouverné par des étrangers ou par des régimes locaux inféodés à des puissances étrangères ; cela ne l'a jamais empêché de préserver sa langue et sa culture, son impressionnante singularité et une force spirituelle si puissante que dans des situations favorables il a toujours réussi à ressusciter et à renaître de ses cendres, tel le phénix. Durant les vingt-cinq siècles de leur histoire, les Iraniens ont toujours su, tôt ou tard, mystifier ceux qui croyaient pouvoir les diriger impunément. Tantôt ils ont recours aux armes de l'insurrection ou de la révolution et ils paient alors le tragique tribut du sang. Tantôt ils font appel à la tactique de la résistance passive qu'ils appliquent de manière particulièrement cohérente et radicale. Quand il ne peut plus supporter le pouvoir, qu'il ne peut vraiment plus le tolérer, le pays tout entier s'immobilise, le peuple tout entier disparaît comme s'il était englouti dans les prodonfeurs du sol. Le pouvoir donne des ordres, mais il n'y a personne pour les exécuter ; il fait les gros yeux, mais personne ne le regarde ; il élève la voix, mais c'est pour crier dans le désert. Alors il s'effondre, tel un château de cartes. Mais le plus souvent, la méthode employée est celle de l'absorption, de l'intégration, de l'assimilation passive, celle qui consiste à aiguiser son couteau sur les lames étrangères.

C'est justement ce qui se passe lors de la conquête arabe. Vous voulez l'islam, disent-ils à leurs occupants, vous l'aurez, mais sous notre forme à nous, dans une version nationale, indépendante, rebelle. Cette religion sera musulmane, mais elle sera avant tout iranienne, en elle s'exprimeront notre esprit, notre culture et notre indépendance. Cette philosophie sous-tend la décision des Iraniens qui adoptent l'islam. Ils se convertissent, mais dans la variante chiite qui, à cette époque, est la foi des hommes lésés et conquis, un instrument de contestation et de résistance, l'idéologie des insoumis prêts à souffrir pour préserver leur particularité et leur dignité. Pour les Iraniens, le chiisme va devenir une religion nationale mais aussi un asile et un refuge, un moyen de sauver leur identité, de survivre mais aussi de se battre afin de se libérer le moment venu.

L'Iran devient la province la plus agitée de l'empire musulman. Le pays est le théâtre constant de complots, d'insurrections, de messagers masqués qui apparaissent puis disparaissent, de tracts et de brochures qui circulent clandestinement. Les représentants du pouvoir d'occupation, les gouverneurs arabes, font régner la terreur, mais les conséquences de leur politique ont un effet contraire à leurs intentions. En réponse à la terreur, les chiites iraniens officiels entreprennent la lutte, mais pas frontalement, car ils ne sont pas assez forts pour cela. La société chiite va produire ce qu'on pourrait appeler une frange terroriste. Aujourd'hui encore, ces groupuscules, qui ne connaissent ni la peur ni la pitié, sèment la panique en Iran. La moitié des assassinats imputés aux ayatollahs sont perpétrés sur l'ordre de ces groupes. En général, on considère que les chiites ont été les premiers, dans l'histoire mondiale, à inventer et à mettre en pratique la théorie de la terreur individuelle comme méthode de lutte. Cette frange est le fruit de luttes idéologiques au sein même du chiisme.

Comme toute société persécutée, condamnée à vivre dans un ghetto et à se battre pour sa survie, les chiites se caractérisent par leur ferveur et leur intégrisme, par un souci fanatique et obsessionnel de la pureté doctrinale. Pour survivre, l'homme persécuté est contraint de manifester une foi inébranlable dans la justesse de son choix et d'en protéger les valeurs. Ainsi, les innombrables scissions que le chiisme a connues ont toutes un dénominateur commun : elles sont « d'extrême gauche » pour reprendre une expression contemporaine. Il s'est toujours trouvé une branche fanatique pour reprocher à la majorité de ses coreligionnaires son absence de piété, sa négligence des préceptes religieux, son sybaritisme et son opportunisme. Une fois la rupture consommée, les schismatiques les plus zélés prennent les armes pour régler leur compte aux ennemis de l'islam afin de racheter par le sang (car eux-mêmes y laissent souvent leur peau) la traîtrise et la paresse de leurs frères trop peu fervents.

Les chiites iraniens vivent sous terre, dans des catacombes pendant huit cents ans. Leur vie rappelle les épreuves et le martyre des premiers chrétiens de Rome jetés en pâture aux lions. Parfois on croit qu'ils sont sur le point d'être décimés jusqu'au dernier, qu'une extermination définitive les attend. Des années durant, ils se cachent dans les montagnes, ils vivent dans des grottes, ils crèvent la faim. Transmis de génération en génération, leurs chants sont désespérés, apocalyptiques.

Mais il y a aussi des périodes plus paisibles où l'Iran se transforme en asile pour tous les opposants de l'empire musulman, qui affluent des quatre coins du monde afin de trouver refuge, réconfort et salut parmi les comploteurs chiites. Ces réfugiés en profitent pour prendre des leçons à la grande école cabalistique. Ils apprennent, par exemple, à maîtriser le principe de dissimulation (*taqîya*) qui permet de survivre : face à un adversaire plus fort que lui, le chiite est autorisé à feindre d'adopter la religion dominante, à s'en déclarer adepte, si cela doit assurer la vie sauve à lui et à ses proches. Ils apprennent aussi l'art de la désorientation (*kitman*) qui, en situation de danger, permet au chiite de renier toutes les opinions qu'il a jusque-là exprimées, de faire l'idiot en quelque sorte. Au Moyen Âge, l'Iran devient ainsi une sorte de Mecque où affluent contestataires, rebelles, insurgés, ermites, prophètes, stigmatisés, extatiques, hérétiques, mystiques, devins de tout poil, qui convergent du monde entier pour dispenser leur savoir, contempler, prier et prophétiser. Tout cela crée une atmosphère de religiosité, d'exaltation et de mysticisme caractéristique du pays. « À l'école, j'étais très pieux, me confie un Iranien, et tous les enfants croyaient que ma tête était auréolée d'or. » Imaginons, un instant, un chef d'État européen racontant qu'en faisant du cheval, il est tombé dans un précipice, mais qu'un saint lui a tendu la main, l'a élevé dans les airs et lui a ainsi sauvé la vie. Pourtant, dans un livre, le dernier shah d'Iran narre cette histoire et tous les Iraniens le lisent avec sérieux. En Iran, la foi dans les miracles est profondément ancrée dans les esprits. De même que la foi dans les chiffres, les signes, les symboles, les prophéties et les révélations.

Au XVIe siècle, les souverains de la dynastie safavide élevèrent le chiisme au rang de religion officielle. Désormais le chiisme, jusque-là idéologie d'opposition populaire, devint une idéologie d'opposition étatique. L'État iranien s'opposait à la domination de l'Empire ottoman sunnite. Avec le temps, les rapports entre la monarchie et le chiisme ne cesseraient de se détériorer.

Les chiites rejettent non seulement l'autorité des califes, mais ils ne tolèrent pratiquement aucune autorité laïque quelle qu'elle soit. L'Iran devient le cas unique d'un pays où la société ne reconnaît que la souveraineté de ses guides religieux, les imams, dont le dernier a quitté ce monde (selon des critères rationnels) au IXe siècle.

Nous touchons là à l'essence même de la doctrine chiite, à l'acte de foi fondamental de ses adeptes. Privés de toute chance d'accéder au califat, les chiites tournent définitivement le dos aux califes et ne reconnaissent plus que les guides de leur propre confession, les imams. 'Ali est le premier imam, ses fils Hasan et Hussein sont le deuxième et le troisième, ainsi de suite jusqu'au douzième. Tous ces imams meurent de mort violente, assassinés ou empoisonnés par les califes qui voient en eux des rivaux dangereux. Les chiites croient toutefois que le dernier imam, le douzième, Mohammad, n'est pas mort, mais qu'il a seulement disparu dans une grotte sous la grande mosquée de Samarra en Iraq. Cela s'est passé en l'an 878. C'est ainsi qu'il devient l'imam caché, l'imam attendu qui resurgira en temps voulu sous le nom de Mahdi (« guidé par Dieu ») pour instaurer le royaume de la justice sur terre. Puis viendra la fin du monde. Les chiites croient que, si cet imam n'était pas en vie, s'il n'était pas présent, le monde cesserait d'exister. Les chiites tirent leur force spirituelle de leur foi en l'existence de l'Attendu, ils vivent avec cette croyance et meurent avec elle. C'est la nostalgie profondément humaine d'une société meurtrie et martyrisée dont la raison de vivre est cette croyance : nous ne savons pas quand l'Attendu réapparaîtra, il peut arriver à tout moment, pourquoi pas aujourd'hui ! Alors sècheront les larmes et chacun trouvera une place à la table de l'abondance.

L'Attendu est l'unique chef auquel les chiites sont prêts à se soumettre pleinement. Dans une moindre mesure, ils reconnaissent l'autorité de leurs dirigeants religieux, les ayatollahs. Quant au shah, il est le moins reconnu de tous. Comme l'Attendu est un objet de culte, il devient l'Adoré, alors que le shah ne peut être que le Toléré.

Depuis les Safavides, l'Iran est gouverné par une double autorité : la monarchie et la mosquée. Les rapports entre les deux forces évoluent avec le temps sans jamais devenir franchement amicaux. Si toutefois cet équilibre est troublé, si le shah essaie, par exemple, d'imposer un pouvoir absolu (avec, de surcroît, l'aide de protecteurs étrangers), le peuple se rassemble dans les mosquées et entre en résistance.

Pour les chiites, la mosquée est plus qu'un lieu de culte, c'est un havre où l'on se réfugie pour laisser passer la tempête ou même sauver sa vie. C'est un lieu inviolable auquel les autorités n'ont guère accès. Autrefois, en Iran, une coutume voulait qu'un insurgé poursuivi par la police trouve un refuge sûr dans une mosquée. Il était sauvé, personne ne pouvait le faire sortir par la force.

Dans leur construction, l'église chrétienne et la mosquée sont fondamentalement différentes. L'église est un espace clos, un lieu de prière, de concentration et de silence. Si l'on parle, on se fait remarquer. Dans la mosquée, la plus grande partie du sanctuaire est constituée par une cour ouverte où l'on peut prier, se promener, discuter et même tenir des réunions. C'est le théâtre d'une vie sociale et politique active. Harassé par son travail, ne rencontrant dans les administrations que des bureaucrates renfrognés soucieux de lui soutirer des pots-de-vin, espionné partout par la police, l'Iranien va à la mosquée pour retrouver équilibre, tranquillité et dignité. Personne ne l'y harcèle, personne ne l'y injurie. À la mosquée, les barrières hiérarchiques tombent, tous sont égaux, tous sont frères. Comme la mosquée est un lieu de conversation et de dialogue, il peut prendre la parole, exprimer ses opinions, présenter ses doléances et écouter ce que disent les autres. Quel soulagement ! Comme tout le monde en a besoin ! Aussi, plus la dictature serre la vis et plus la chape de plomb s'alourdit au travail et dans la rue, plus les mosquées se remplissent d'hommes et de murmures. Ceux qui se réfugient dans les mosquées ne sont pas tous de fervents musulmans, ils ne sont pas tous portés pas une vague de piété ; ils viennent là parce qu'ils veulent se reposer, ils veulent se sentir des êtres humains. Sur le territoire de la mosquée, même la Savak n'est pas libre de ses mouvements. Certes, on arrête et on torture beaucoup de religieux, notamment ceux qui critiquent ouvertement les abus du pouvoir. L'ayatollah Saidi est mort sur la « poêle à frire ». Peu de temps après, l'ayatollah Azarshari fut plongé par la Savak dans de l'huile bouillante. L'ayatollah Taleghani est sorti de prison, mais il ne lui restait plus longtemps à vivre à cause du traitement qui lui avait été infligé. Il n'avait plus de paupières. Les agents de la Savak ont violé sa fille en sa présence et comme l'ayatollah a fermé les yeux pour ne pas voir, ils lui ont brûlé les paupières avec des cigarettes afin de l'obliger à regarder. Tout cela se passe dans les années 1970 de notre siècle.

Dans sa manière de gérer le problème religieux, le shah s'empêtre toutefois dans un tissu de contradictions. D'un côté, il persécute l'opposition cléricale. De l'autre, soucieux de sa popularité, il s'acharne à passer pour un musulman pieux, il se rend en pèlerinage dans toutes les villes saintes, se plonge dans la prière et sollicite la bénédiction des mollahs. Comment pourrait-il, en effet, déclarer ouvertement la guerre aux mosquées ?

[Mais la relative liberté des mosquées s'explique par un autre facteur. Pour les Américains qui manipulent le shah (pour le plus grand malheur du monarque, car ils ne connaissent pas l'Iran et ne comprennent pas vraiment ce qui s'y passe), les communistes, le parti Tudeh, sont l'unique adversaire de Mohammad Reza. La Savak concentre alors son tir sur les communistes. Mais à cette époque les communistes sont peu nombreux, ils ont été décimés ou alors ils vivent en exil. Le régime est tellement occupé par la chasse aux communistes, avérés ou prétendus, qu'il ne voit pas que la force qui va renverser la dictature se trouve tout à fait ailleurs et défend des idéaux complètement différents.]

Les chiites fréquentent aussi la mosquée parce qu'elle se trouve toujours à proximité, dans le voisinage, sur leur chemin. La ville même de Téhéran compte un millier de mosquées. L'œil peu exercé du touriste n'en remarquera que quelques-unes, celles qui sont les plus impressionnantes. Or la plupart des mosquées, surtout dans les quartiers pauvres, sont des lieux modestes, difficiles à distinguer des fragiles maisons où vivent les classes les plus défavorisées. Elles sont faites de la même argile et se fondent si bien dans le paysage monotone des rues et ruelles qu'on peut passer à côté sans même les remarquer. Cela crée un climat familier et intime entre le chiite et sa mosquée. Inutile de faire des kilomètres **pour** y aller, inutile de mettre des habits de fête. La mosquée, c'est le pain quotidien. La mosquée, c'est la vie.

Les premiers chiites qui arrivèrent en Iran étaient des citadins, petits commerçants et artisans. Ils s'enfermèrent dans des ghettos où ils bâtirent une mosquée, à côté ils installèrent leurs étals, leurs boutiques et leurs ateliers. Comme le musulman doit se laver avant la prière, ils installèrent aussi des bains. Et comme après la prière le musulman aime boire, thé ou café, et manger, ils construisirent également des restaurants et des cafés à proximité. C'est ainsi que naquit un phénomène typique du paysage urbain iranien : le bazar (mot où s'enchevêtrent les notions de couleur, de foule, de bruit, de mysticisme, de négoce et de consommation). Quand on dit qu'on va au bazar, cela ne veut pas forcément dire qu'on prend son filet à provisions et qu'on part faire des courses. On peut aller au bazar pour prier, rencontrer des amis, faire des affaires, passer un moment au café. On peut y aller aussi pour se tenir au courant des dernières rumeurs et prendre part à une réunion d'opposants. Sans avoir à courir dans toute la ville, sans avoir à aller nulle part, le chiite satisfait ses besoins corporels et spirituels en un seul lieu : le bazar. C'est là qu'il trouve ce qui lui est indispensable pour son existence terrestre, c'est là aussi qu'il s'assure une vie éternelle par les prières et les offrandes.

[Les doyens du bazar, commerçants et artisans, ainsi que les mollahs de la mosquée constituent une autorité respectée. Toute la communauté chiite écoute leurs recommandations et leurs avis. Ce sont eux qui décident de la vie sur terre et dans les cieux. Si le bazar se met en grève et ferme ses portes, les gens mourront de faim et n'auront plus accès au lieu où ils viennent se ressourcer. Aussi, l'union entre la mosquée et le bazar est la force la plus dangereuse pour le pouvoir. Le dernier shah n'a pas échappé à cette règle. Lorsque le bazar prononça sa sentence à l'encontre du monarque, son destin fut scellé.

Plus la lutte prend de l'ampleur, plus les chiites se sentent dans leur élément. Le talent des chiites se révèle dans la lutte, non pas dans le travail. Contestataires-nés, opposants infatigables, dotés d'un sens aigu de l'honneur et de la dignité, ils sont chez eux dès qu'ils sont confrontés à la lutte.

Le chiisme est aux Iraniens ce que le sabre était aux conspirateurs polonais. Tant que la vie demeurait supportable et les forces inorganisées, le sabre restait caché derrière une poutre au grenier, enveloppé dans des chiffons huilés. Mais dès que sonnait l'heure de la rébellion, on entendait l'échelle de meunier grincer, les sabots des chevaux marteler le sol et la lame des sabres fendre les airs en sifflant.]

Note (7)

Mahmud Azari est revenu à Téhéran au début de l'année 1977. Pendant huit ans, il avait habité Londres, vivant de traductions d'ouvrages divers et de brochures pour des agences de publicité. Vieil homme solitaire, il aimait, à part le travail, passer du temps à se promener et à discuter avec ses compatriotes. Lors de ces rencontres, il était essentiellement question de la vie difficile des Anglais, car même à Londres la Savak était omniprésente, mieux valait donc éviter de parler de l'Iran.

Son frère, qui habitait à Téhéran, lui avait transmis plusieurs lettres par des canaux privés. Il l'encourageait à rentrer au pays, car, disait-il, des temps nouveaux s'annonçaient. Mahmud redoutait les temps nouveaux, mais comme dans leur famille son frère avait toujours exercé sur lui une certaine autorité, il avait fait ses valises et était rentré au pays.

La ville était méconnaissable.

L'ancienne oasis du désert s'était transformée en fourmilière assourdissante. Cinq millions d'hommes s'entassaient dans la cité où chacun s'employait à trouver une activité, s'exprimer, se déplacer, se nourrir. Un million de voitures encombraient les ruelles étroites paralysées par une impossible circulation à double sens, les deux files étant de surcroît assaillies, coupées, neutralisées par des flots de véhicules qui tentaient de forcer le passage à gauche et à droite, au nord et au sud, à l'est et à l'ouest, le tout formant un gigantesque capharnaüm, fumant et vrombissant. Des milliers de klaxons hurlaient de l'aube à la nuit, sans rime ni raison.

Mahmud remarqua que les gens, jadis si tranquilles et agréables, se disputaient maintenant à la moindre occasion, se mettaient en colère au moindre prétexte, se sautaient à la gorge, glapissaient, juraient. Ces hommes lui rappelaient des monstres étranges, surréalistes, schizophréniques, dont le tronc s'inclinait obséquieusement dès qu'ils se retrouvaient face à une autorité tandis que leurs pieds piétinaient et écrasaient les plus faibles. Ce dédoublement devait vraisemblablement leur permettre de garder un équilibre intérieur, pitoyable et dérisoire, certes, mais indispensable à leur survie.

Quelle partie du monstre serait la première à réagir au cas où Mahmud se heurterait à lui ? Celle qui s'inclinait ou celle qui piétinait ? Telle était la question que Mahmud se posait avec appréhension. Ses doutes furent bientôt dissipés quand il constata que les pieds étaient bien plus actifs que le tronc, qu'ils étaient toujours prêts à se mettre en mouvement et qu'ils ne s'arrêtaient que sous la pression de circonstances majeures.

Pour sa première promenade, Mahmud se rendit dans un parc. Il s'assit sur un banc occupé par un homme et tenta de nouer conversation. Mais l'homme se leva sans dire un mot et s'éloigna en toute hâte. Peu après, Mahmud renouvela l'expérience en adressant la parole à un passant. Ce dernier lui jeta un œil effaré comme s'il regardait un aliéné. Mahmud le laissa donc tranquille et décida de rentrer à son hôtel.

À la réception, un employé à moitié endormi et mal embouché l'informa qu'il devait se présenter à la police. Pour la première fois depuis huit ans, il fut pris de panique. C'est à ce moment précis qu'il se rendit compte que la terreur est un sentiment qui ne perd jamais de son acuité. C'était la même sensation qu'il avait éprouvée des années auparavant ; même impression d'avoir les épaules écrasées par un bloc de glace, même lourdeur dans les jambes.

La police occupait un immeuble sordide, puant le renfermé, au bout de la rue où se trouvait son hôtel. Mahmud se plaça dans une longue file de gens maussades et apathiques. De l'autre côté du guichet, des policiers assis lisaient le journal. Un silence de plomb écrasait l'immense commissariat bondé : les policiers semblaient pris par leur lecture, et dans la file d'attente personne n'osait dire un mot. Soudain, sans qu'on sache pourquoi, les policiers se mirent au travail. Ils se mirent à racler leurs chaises sur le sol, à fouiller dans les tiroirs et à injurier grossièrement les gens qui attendaient.

« D'où vient cette goujaterie généralisée ? » se demanda Mahmud, consterné. Quand arriva son tour, on lui remit un formulaire qu'il dut remplir sur place. Il hésitait à chaque rubrique et remarqua que tout le monde portait sur lui des regards suspicieux. Effrayé, il se mit à écrire fiévreusement, maladroitement, comme s'il était à moitié analphabète. Il sentait la sueur couler sur son front, et quand il s'aperçut qu'il avait oublié son mouchoir, il se mit à suer encore plus.

Après avoir rempli le formulaire, il sortit précipitamment dans la rue et, toujours dans ses pensées, il se cogna à un passant. Ce dernier se mit à l'invectiver à voix haute. Quelques personnes s'arrêtèrent. C'était suffisant pour que Mahmud soit en infraction puisque son comportement était à l'origine d'un attroupement. La loi interdisait, en effet, tout rassemblement intempestif. Un policier s'approcha. Mahmud dut longuement lui expliquer qu'il s'agissait d'un concours de circonstances et que l'incident n'avait généré aucune critique à l'encontre de la monarchie. Le policier nota néanmoins ses coordonnées et empocha 1 000 rials.

Mahmud rentra à son hôtel, déprimé. Il prenait conscience qu'il avait été fiché par la police, deux fois même. Il se demanda ce qui arriverait si les deux fichiers se rencontraient. Puis il se consola en se disant qu'il y avait des chances pour que tout disparaisse dans l'insondable pagaille de la bureaucratie.

Le lendemain matin, son frère vint lui rendre visite ; après les salutations d'usage, Mahmud lui raconta qu'il avait été fiché. Ne serait-il pas plus raisonnable de retourner à Londres ? lui demanda-t-il. Naguère, son frère avait dirigé une importante maison d'édition que la Savak avait supprimée. La Savak censurait un livre une fois qu'il était édité. Si un ouvrage éveillait des soupçons, tous les exemplaires devaient être mis au pilon, aux frais de l'éditeur. C'était une manière de couler la plupart des maisons d'édition. Dans un pays habité par trente-cinq millions d'âmes, les éditeurs ne se risquaient pas, en général, à faire des tirages supérieurs à mille exemplaires. *Comment prendre soin de sa voiture*, best-seller de la Grande Civilisation, fut publié à quinze mille exemplaires, mais l'aventure s'arrêta là ; dans un chapitre sur les pannes de moteur, les mauvaises ventilations et les batteries à plat, la Savak avait détecté maintes allusions à la politique du gouvernement.

Le frère de Mahmud voulait discuter ; en montrant le lustre, le téléphone, les prises électriques et la lampe de chevet, il lui proposa de sortir et de faire une excursion en dehors de la ville. Ils partirent en direction des montagnes dans une voiture déglinguée. Ils s'arrêtèrent sur une route déserte. C'était le mois de mars, un vent glacial soufflait et un manteau de neige recouvrait le paysage. Cachés derrière un rocher élevé, ils se mirent à parler en grelottant de froid.

(« C'est à ce moment-là que mon frère m'a dit que je devais rester, car la révolution avait commencé et que je serais utile. "Quelle révolution ? ai-je demandé. Tu es devenu fou ? En général, j'ai peur du désordre et je ne supporte pas la politique. Je fais des exercices de yoga tous les jours, je lis de la poésie et je traduis. Qu'ai-je à faire de la politique ?" Mais mon frère a déclaré que je ne comprenais rien, et il m'a expliqué ce qui se passait. "Tout va partir de Washington, m'a-t-il dit, c'est là-bas que notre destin est en train de se décider. Jimmy Carter parle en ce moment des droits de l'homme. Le shah ne peut pas l'ignorer ! Il devra mettre fin aux tortures, libérer une partie des prisonniers et instaurer un semblant de démocratie. Pour le moment, cela nous suffit !" Mon frère était très agité, je l'ai calmé bien que dans les parages il n'y eût pas un chat. Lors de cette rencontre, il m'a remis un manuscrit de plus de deux cents pages. Il s'agissait d'un texte de l'écrivain iranien Ali Asqara Jawadi, une lettre ouverte au shah. Jawadi y parlait de la crise, de la dépendance du pays, des scandales de la monarchie, de la corruption, de l'inflation, des répressions et de la démoralisation de la population. Mon frère me dit que le document circulait sous le manteau et qu'il connaissait une large diffusion, car les gens en faisaient des copies. "Nous attendons la réaction du shah, a-t-il ajouté. – Jawadi ira-t-il en prison ? – Pour le moment, il reçoit des menaces téléphoniques, rien de plus. Il fréquente un café, tu pourras lui parler."

J'ai répondu à mon frère que j'avais peur de rencontrer un homme qui était certainement surveillé. »)

Ils sont revenus en ville. Après s'être enfermé dans sa chambre d'hôtel, Mahmud a lu le texte de Jawadi d'un trait. Jawadi accusait le shah de détruire l'âme du peuple. Toute idée, écrivait-il, est étouffée dans l'œuf, les hommes les plus éclairés sont condamnés au silence. Notre culture se retrouve derrière les barreaux ou s'exprime dans la clandestinité. Il expliquait au shah que le progrès ne pouvait se mesurer au nombre de blindés et de voitures. La mesure du progrès était l'homme, son sentiment de dignité et de liberté. Mahmut lisait, l'oreille dressée en direction du couloir.

Le lendemain, il se demanda avec angoisse ce qu'il allait faire du manuscrit. Ne voulant pas le laisser dans la chambre d'hôtel, il le prit avec lui. Mais en marchant dans la rue, il se rendit compte qu'une liasse pareille pouvait attirer des soupçons. Il acheta un journal et glissa le manuscrit dedans. Il craignait toutefois de se faire arrêter et fouiller à tout moment. Le pire, c'était à la réception de l'hôtel. Il était persuadé que le paquet qu'il tenait toujours sous le bras avait attiré l'attention. En désespoir de cause, il décida de limiter ses allées et venues.

Petit à petit, il reprit contact avec ses anciens amis, ses camarades d'université. Certains d'entre eux étaient malheureusement décédés, une grande partie avaient émigré, d'autres étaient en prison. Il finit toutefois par constituer une liste d'adresses actualisées.

Il se rendit à l'université où il rencontra Ali Kaidi avec qui, jadis, il avait fait des excursions en montagne. Kaidi était maintenant professeur de botanique. Mahmud l'interrogea prudemment sur la situation dans le pays. Après un moment de réflexion, Kaidi répondit que depuis des années il s'occupait exclusivement des plantes sclérophylles. Il se lança alors dans un exposé sur ces espèces endémiques qui ne poussent que là où les hivers sont pluvieux, les étés secs et torrides. « En hiver, expliqua Kaidi, ce sont les variétés éphémères qui prospèrent, autrement dit les plantes thérophytes et géophytes, alors qu'en été ce sont plutôt les xérophytes qui se développent, car elles ont la faculté de limiter leur transpiration. » Mahmud qui ne connaissait rien à ce jargon, demanda à son camarade, en termes prudents et généraux, si l'on pouvait s'attendre à des événements importants. Kaidi redevint pensif, puis au bout d'un moment il se mit à évoquer la merveilleuse couronne du cèdre de l'Atlas (*Cedrus atlanticus*). Récemment d'ailleurs, conclut-il, tout excité, il avait eu le bonheur d'observer un cèdre de l'Himalaya (*Cedrus deodora*), un arbre encore plus beau, il fallait bien le reconnaître !

Un autre jour, il rencontra un camarade d'école avec qui il avait essayé d'écrire une pièce de théâtre. Son ami était maintenant maire de la ville de Karaj. Vers la fin du déjeuner dans un bon restaurant où son ami maire l'avait invité, Mahmud posa quelques questions sur le climat social. Mais le maire refusait d'aborder tout autre thème que celui de sa municipalité. À Karaj, expliquait-il, on goudronnait les rues principales. On installait le tout-à-l'égout qui n'existait même pas à Téhéran. Écrasé par une avalanche de chiffres et de termes, Mahmud comprit que sa question était déplacée, mais il s'obstina et demanda à son camarade de quoi les habitants de la ville parlaient le plus souvent. Le maire se mit à réfléchir. Comment pouvait-il le savoir ? Ils parlaient de leurs affaires. Les gens ne réfléchissaient pas, tout leur était égal, ils étaient paresseux, apolitiques, ils ne s'intéressaient qu'à leur nombril. Les affaires de l'Iran ! Qu'en avaient-ils à faire ? Puis il reprit son exposé sur la construction d'une usine de paraldéhyde dont la production allait bientôt inonder le pays. Mahmud, qui n'avait jamais entendu parler de paraldéhyde, fut gêné d'être aussi ignare et en retard sur son temps. « Tout marche bien pour toi ? » demanda-t-il à son ami. « Et comment ! » répondit celui-ci, puis, se penchant au-dessus de la table, il ajouta d'une voix sourde : « Ces nouvelles usines ne produisent que de la camelote, tout est bon pour le rebut. Les gens ne veulent pas travailler, ils font tout n'importe comment. Partout règne l'apathie, une espèce de résistance latente. Le pays tout entier a échoué sur un récif. – Mais pourquoi ? » demanda Mahmud. « Je ne sais pas, répondit son camarade en se redressant et en faisant un signe au garçon, je ne saurais dire pourquoi. » Mahmud constata alors avec tristesse qu'après avoir risqué ces quelques mots audacieux, l'âme sincère du dramaturge malheureux se retrancha de nouveau derrière un rempart de générateurs, convoyeurs, relais et autres courroies de transmission.

(« Pour ces gens-là, le concret devint une cachette, un refuge, une planche de salut même. Par exemple, le cèdre et le goudron sont des thèmes concrets très faciles à aborder. Ils ont l'avantage d'être délimités par des frontières bien précises et défendues par des signaux d'alarme. Imaginons qu'un esprit immergé dans le concret s'approche de cette frontière. Aussitôt une sonnerie le met en garde : au-delà de cette limite commence le champ des idées générales dangereuses, des réflexions et des synthèses indésirables. Au son de ce signal, l'esprit prudent fait machine arrière pour vite replonger dans le concret. Nous pouvons observer ce processus sur le visage de notre interlocuteur. Le voilà qui discute avec animation en donnant des chiffres, des pourcentages, des noms et des dates. Il nage dans le concret comme un poisson dans l'eau. Nous lui posons alors une question, par exemple : "Pourquoi les gens n'ont-ils pas l'air content ?" Nous le voyons alors changer de tête – la sonnerie d'alarme a fonctionné. Attention ! Il est sur le point de franchir la limite du concret. Il se tait et cherche nerveusement une issue qui consiste, évidemment, à se retrancher dans le pragmatisme. Satisfait de ne pas s'être fait piéger, il se remet à discuter avec verve en soupirant de soulagement. De nouveau, il pérore, vous assomme d'objets, de choses ou de phénomènes. Le concret a ceci de particulier qu'il ne peut pas s'associer tout seul à d'autres éléments matériels pour former des images globales. Deux données concrètes négatives, par exemple, peuvent coexister, mais elles ne formeront une image synthétique que si l'esprit humain décide de les réunir. Or un signal d'alarme interdit à l'esprit humain de jouer son rôle. Les deux éléments concrets négatifs continueront donc de coexister sans s'unir et menacer l'ordre établi. Si l'on réussit à faire en sorte que chaque individu s'enferme dans les limites de son concret, on aboutit à une société atomisée, composée d'un certain nombre d'unités concrètes, incapables de s'assembler en un groupe cohérent. »)

Mahmud décida toutefois de s'arracher aux problèmes terrestres et de s'envoler vers les contrées de l'imagination et de l'émotion. Il retrouva un camarade dont il savait qu'il était devenu un poète renommé. Hassan Rezvani le reçut dans sa villa moderne et luxueuse. Confortablement installés dans un jardin bien entretenu au bord d'une piscine (les chaleurs estivales étaient arrivées), ils sirotaient un gin-tonic dans des verres givrés. Hassan se plaignait d'être fatigué. Il rentrait d'un voyage à Montréal, Chicago, Paris, Genève et Athènes où il avait donné des conférences sur la Grande Civilisation, la révolution du shah et du peuple. Un travail pénible et déprimant, disait-il, car des éléments subversifs et tapageurs l'avaient empêché de parler et accablé d'injures. Hassan montra à Mahmud son dernier recueil de poésie consacré au shah. Le premier poème s'intitulait « Sous son regard éclosent les roses ». Il suffisait que le shah ouvre les yeux pour qu'un œillet ou une tulipe sorte de terre et fleurisse, disait le poème.

Quand son regard se posait
Des fleurs s'épanouissaient.

« Sous ses pieds jaillissent les sources », disait un autre poème. Il suffisait que le monarque foule le sol pour que sourde une eau cristalline, chantait le poète.

Quand ses pieds dans l'attente se figeaient
Les flots d'une rivière jaillissaient.

Ces poèmes étaient lus à la radio et dans les écoles. Le monarque lui-même en parlait en termes flatteurs, et Hassan avait été gratifié d'une bourse de la Fondation Pahlavi.

Un jour, en marchant dans la rue, Mahmud vit un homme debout sous un arbre. Il s'approcha et reconnut, non sans peine, Mohsen Jalaver, avec qui il avait jadis collaboré à un journal étudiant. Mahmud savait que Mohsen avait été torturé et emprisonné pour avoir caché un ami moudjahid chez lui. Mahmud s'arrêta et voulut lui tendre la main. Mais Mohsen le regarda d'un œil absent. Mahmud lui rappela son nom. Mohsen répondit sans bouger : « Ça m'est égal. » Il resta recroquevillé, le regard fixé sur ses pieds. « Allons quelque part, lui dit Mahmud, j'ai envie de te parler. – Ça m'est égal », répéta Mohsen, toujours immobile, la tête baissée. Mahmud commençait à avoir froid. « Écoute, tenta-t-il une dernière fois, on pourrait se voir un autre jour ? » Mohsen ne répondit pas, il se recroquevilla encore plus sur lui-même, puis murmura d'une voix sourde : « Liquidez les rats ! »

Quelque temps après, Mahmud loua un modeste appartement au centre de la ville. Il était encore occupé à défaire ses valises lorsque trois individus débarquèrent chez lui. Tout en lui souhaitant la bienvenue dans le quartier, ils lui demandèrent s'il était membre du Rastakhiz, le parti du shah. Mahmud répondit que non, qu'il rentrait d'un séjour de plusieurs années en Europe. Cette information éveilla leurs soupçons, car en général ceux qui partaient ne revenaient pas. Ils se mirent à l'interroger sur les raisons de son retour – l'un des hommes notait tout dans un cahier. Mahmud se rendit compte avec effroi qu'il était fiché pour la troisième fois. Les visiteurs lui remirent un bulletin d'adhésion, mais Mahmud leur dit qu'il ne voulait pas s'inscrire, car il avait toujours été apolitique. Voyant que le nouveau locataire ne se rendait pas compte de l'énormité de ses propos les hommes le regardèrent avec stupéfaction. Ils lui remirent alors un tract sur lequel étaient inscrites ces paroles du shah en lettres majuscules : « CEUX QUI N'ADHÈRENT PAS AU RASTAKHIZ SONT SOIT DES TRAÎTRES DONT LA PLACE EST EN PRISON SOIT DES ÉLÉMENTS QUI NE CROIENT NI AU SHAH NI AU PEUPLE NI À LA PATRIE ET NE PEUVENT, PAR CONSÉQUENT, ESPÉRER ÊTRE TRAITÉS À L'ÉGAL DES AUTRES. » Mahmud eut toutefois l'audace de demander un jour de réflexion pour prendre conseil auprès de son frère.

Son frère lui dit qu'il n'y avait pas d'autre solution. « Nous appartenons tous au Parti ! Le peuple tout entier doit y adhérer comme un seul homme ! » Mahmud rentra chez lui, et quand les militants revinrent il prit sa carte. C'est ainsi qu'il devint un défenseur de la Grande Civilisation.

Il reçut bientôt une invitation du Rastakhiz dont le siège se trouvait tout près de chez lui et où se tenait une réunion d'artistes chargés d'honorer le trente-septième anniversaire de l'accession au trône du monarque. Toutes les commémorations liées à la personnalité du shah et à ses immenses réalisations – la Révolution blanche et la Grande Civilisation – étaient fêtées en grande pompe, toute la vie de l'empire tournait autour de cérémonies solennelles, flamboyantes, majestueuses. D'innombrables commissions ratissaient le calendrier afin de ne pas laisser passer le moindre anniversaire : du monarque, de l'héritier du trône, d'autres descendants bienheureux, de son dernier mariage, de son couronnement... Quant aux fêtes traditionnelles, elles étaient constamment doublées d'autres solennités. À peine un anniversaire venait-il d'être célébré qu'on préparait le suivant, l'air vibrait de fièvre et d'excitation, partout le travail cessait, le peuple tout entier s'investissait dans la préparation des festivités jalonnées de banquets fastueux, de remises de décorations, de discours de congratulations et de tout un sublime cérémonial.

[L'ordre du jour de la réunion du Parti portait sur les monuments du shah devant être inaugurés le jour de la cérémonie. Dans la salle, une centaine de personnes trônaient au premier rang. Chaque fois que le président de séance prenait la parole, c'était pour les encenser. Pourtant aucun des noms cités ne parlait à Mahmud. « Qui sont donc ces gens assis dans les fauteuils de satin ? » demanda-t-il à son voisin. « Ce sont des personnalités qui ont été décorées par le shah et qui ont reçu son livre avec sa dédicace », lui répondit celui-ci dans un murmure.

Le président de séance était le sculpteur Kurush Lashai que Mahmud avait naguère connu en Angleterre. Lashai avait passé de nombreuses années à Londres et à Paris où il avait tenté de faire carrière. Mais comme il n'avait aucun talent, il n'avait pas réussi à percer. Après une série d'échecs, il était revenu à Téhéran, déçu et blessé. L'homme ambitieux qu'il était ne pouvait pas s'accommoder d'une défaite, il cherchait sa revanche. Il adhéra au Rastakhiz puis ne cessa de grimper les échelons du pouvoir. Il devint bientôt président du jury de la Fondation Pahlavi. C'était lui qui décidait de l'attribution des distinctions. On le considérait comme le théoricien du réalisme impérial. La parole de Lashai était sacrée. D'après la rumeur, il était devenu le conseiller personnel du shah en matière culturelle.]

Alors que Mahmud sortait de la réunion, l'écrivain et traducteur Gholam Qasemi l'accosta. Ils ne s'étaient pas vus depuis longtemps puisque Mahmud vivait à l'étranger et que Gholam écrivait dans son pays des récits à la gloire de la Grande Civilisation.

Gholam menait grand train de vie, avait libre accès au palais, publiait des livres qui paraissaient sous des reliures de cuir. Gholam voulait lui communiquer un message important et il l'attira dans un café arménien. Il déploya un hebdomadaire sur la table et dit avec fierté : « Regarde ce que j'ai réussi à publier ! » C'était un poème de Paul Eluard traduit par ses soins. Mahmud jeta un œil sur les vers et demanda : « Et alors ? – Ma parole, tu ne comprends rien ! s'indigna Gholam. Lis attentivement ! » Mahmud relut attentivement le poème mais il reposa la même question : « Qu'y a-t-il d'important là-dedans ? De quoi es-tu si fier ? – C'est impensable ! Tu as les yeux bouchés ? éclata Gholam. Regarde bien :

Il fait un triste temps, il fait une nuit noire
À ne pas mettre un aveugle dehors. »

Il lisait sa traduction en soulignant chaque mot avec son ongle. « Tu ne peux pas t'imaginer les efforts que j'ai dû déployer pour faire publier ces vers, pour convaincre la Savak qu'ils pouvaient paraître ! s'exclama-t-il, tout excité. Dans un pays où tout doit respirer l'optimisme, fleurir, sourire, soudain "Il fait un triste temps, il fait une nuit noire" ! Tu t'imagines un peu ! » Fier de son courage, Gholam rayonnait.

À cet instant précis, en regardant le visage retors et rusé de Gholam, Mahmud comprit que la révolution était en cours. Il eut soudain l'impression de tout comprendre. Pressentant la catastrophe, Gholam manœuvrait sournoisement, retournait sa veste, tentait de se blanchir, rendait hommage à l'ennemi dont les pas menaçants résonnaient sourdement dans son cœur terrifié et assiégé. Pour le moment, il se contentait de glisser insidieusement une punaise sur le coussin écarlate sur lequel le shah était assis. C'était loin d'être une bombe, le shah n'en mourrait pas, mais Gholam se sentait soulagé : il avait manifesté son opposition ! Désormais il pourrait montrer cette punaise, en parler, chercher auprès de ses proches louanges et reconnaissance, se délecter d'avoir exprimé son indépendance.

Le soir venu, Mahmud fut toutefois repris de doute. Se promenant avec son frère dans les rues désertes, il croisait des visages mornes et las. Les passants, épuisés, rentraient en toute hâte chez eux ou attendaient le bus en silence. Des hommes accroupis contre un mur somnolaient, la tête sur les genoux. « Qui va la faire, ta révolution ? demanda Mahmud en les montrant de la main. Tu ne vois pas qu'ils dorment tous. – Ce sont eux qui vont la faire, répondit son frère. Ceux que tu vois en ce moment. Un beau jour, il va leur pousser des ailes. » Mais Mahmud était incapable d'imaginer un tel scénario.

(« Au début de l'été, raconte Mahmud, j'ai moi-même commencé à sentir comme un frémissement dans l'air, une animation chez les gens. Il régnait un climat indéfinissable, comme quand on se réveille d'un mauvais rêve. Tout d'abord, les Américains avaient contraint le shah à libérer un certain nombre d'intellectuels. Seulement le shah trichait ; il en relâchait certains et en enfermait d'autres. Mais au moins, il avait été obligé de reculer d'un pas. Une première faille, une première brèche, était apparue dans le système rigide, c'était essentiel. Un groupe d'intellectuels en profitèrent pour essayer de ressusciter l'Union des écrivains iraniens dissoute par le shah en 1969. En général, toutes les organisations, même les plus innocentes, étaient interdites. C'était soit Rastakhiz soit la mosquée. *Tertium non datur.* Le gouvernement refusait obstinément d'accorder aux écrivains l'autorisation de créer leur union. Cette interdiction fut à l'origine de réunions clandestines dans des maisons privées, le plus souvent des maisons de campagne dans la région de Téhéran où il était plus facile de critiquer le régime du shah. Ces réunions portaient le nom de "soirées culturelles". On commençait par y lire de la poésie, puis on parlait de l'actualité. On y entendait dire que le programme de développement inventé par le shah pour servir ses propres intérêts était un véritable fiasco, que plus rien ne fonctionnait, que les marchés étaient vides, que la vie était de plus en plus chère, que les loyers engloutissaient les trois quarts d'un salaire, que l'élite incapable mais rapace pillait le pays, que les firmes étrangères faisaient fuir des capitaux énormes, que la moitié des revenus du pétrole était investie dans un armement insensé. Ces sujets étaient abordés de plus en plus ouvertement et franchement. Je me souviens d'avoir vu pour la première fois, à l'une de ces soirées, des hommes sortant de prison. C'étaient des écrivains, des scientifiques, des étudiants. Je les fixais du regard, désireux de voir la trace que laissent sur un homme une immense frayeur et une grande souffrance. J'avais l'impression qu'il y avait quelque chose d'anormal dans leur comportement. Leurs gestes étaient hésitants, comme si la lumière et la présence des autres les éblouissaient. Ils gardaient une certaine distance vis-à-vis de leur entourage comme s'ils redoutaient que la promiscuité se termine par des coups. L'un d'eux avait un aspect effroyable, son visage et ses mains étaient marqués de brûlures, il marchait avec une canne. C'était un étudiant en droit. Lors d'une perquisition, on avait trouvé chez lui des tracts de fedayins. Il raconta que les agents de la Savak l'avaient conduit dans une grande salle dont un mur avait été chauffé à blanc. Par terre il y avait des rails, sur les rails était fixé un fauteuil à roulettes en métal où il avait été attaché avec des courroies. Quand un agent appuyait sur un bouton, le fauteuil avançait en direction du mur incandescent. Il avançait lentement, par saccades, à raison de trois centimètres par minute. Il avait calculé qu'il faudrait deux heures pour atteindre le mur, mais au bout d'une heure il ne pouvait plus supporter la température. Il s'était mis à hurler qu'il allait tout avouer même s'il n'avait rien à se reprocher et qu'il avait trouvé les tracts dans la rue. Nous écoutions tous en silence, l'étudiant pleurait. Je me souviens qu'il s'exclama : "Mon Dieu, pourquoi m'as-tu appris à penser ? Tu aurais mieux fait de m'apprendre à être soumis comme un mouton ! Pourquoi m'as-tu infligé une infirmité aussi horrible ?" Il finit par s'évanouir, on fut obligé de le transporter dans une autre pièce. Mais en général, ceux qui sortaient de prison gardaient le silence. »)

La Savak eut tôt fait de localiser les réunions clandestines. Une nuit, alors qu'ils venaient de quitter la maison de campagne où ils s'étaient retrouvés et qu'ils se dirigeaient vers la route, Mahmud entendit soudain un bruissement dans les fourrés qui bordaient le sentier, puis, après un moment de confusion, il perçut des cris ; les ténèbres s'épaissirent soudain, juste après qu'il eut senti un terrible coup sur la nuque. Il tituba, tomba le visage contre le sentier pierreux et perdit connaissance. Il reprit ses esprits dans les bras de son frère. Ses yeux gonflés et ensanglantés eurent toutes les peines du monde à distinguer le visage gris et tuméfié de son aîné dans l'obscurité. Il entendit des gémissements, une voix sourde appelait au secours, comme si elle provenait des profondeurs du sol. Il finit par reconnaître celle de l'étudiant en droit qui sans doute délirait, il ne cessait de répéter : « Pourquoi m'as-tu appris à penser ? Pourquoi m'as-tu infligé une telle infirmité ? » Mahmud entrevit un de ses camarades dont le bras cassé pendait horriblement. Il vit aussi, à côté de lui, un homme agenouillé qui crachait du sang. Lentement le groupe se remit en route en tâchant de rester uni ; chacun était tétanisé par la peur d'être de nouveau passé à tabac.

Le lendemain matin, Mahmud était allongé dans son lit, la tête bandée et le front recousu. Le concierge lui apporta le journal dans lequel Mahmud lut l'histoire de leur mésaventure nocturne : « La nuit dernière, dans la région de Kan, des déchets de la société, récidivistes de surcroît, ont organisé une répugnante orgie dans une maison de campagne des environs. À plusieurs reprises, les habitants de la région leur avaient déjà signalé l'indécence et l'ignominie de leur comportement. Mais au lieu de tenir compte des remarques justes des patriotes locaux, la bande de marginaux effrénés a agressé la population locale à coups de pierres et de bâtons. Les habitants ont été contraints de prendre leur propre défense et de rétablir l'ordre qui régnait naguère dans cette région. » Mahmud gémissait, il sentait qu'il avait de la fièvre, il avait le vertige.

[Le soir, son frère lui rendit visite. Il semblait tout ému et excité. Sans regarder les blessures de Mahmud comme s'il avait oublié l'attaque nocturne, il sortit de sa serviette un énorme manuscrit qu'il glissa à son frère alité. Mahmud chaussa ses lunettes avec peine. « Encore un texte, dit-il à contrecœur, et il repoussa le manuscrit. Fiche-moi la paix ! – S'il te plaît, répliqua son frère, offusqué, lis-le avec attention, c'est une affaire grave ! » Contraint de lire en dépit de ses maux de tête, Mahmud dut reconnaître, au bout de quelques pages, qu'il s'agissait réellement d'un dossier grave et exceptionnel. Il avait sous les yeux la copie d'un document envoyé au shah par trois proches de Mossadegh. Mahmud lut les signatures : Karim Sanjabi, Chapour Bakhtiar, Dariush Forouhar. Des noms illustres, pensa-t-il, des autorités. À des époques différentes, tous trois avaient été emprisonnés par le shah, Bakhtiar à six reprises.

« Depuis 1953, lut Mahmud, l'Iran vit dans une atmosphère de peur et de terreur. Toute résistance est tuée dans l'œuf et, si elle est découverte, elle est noyée dans le sang. Le souvenir de l'époque où les gens pouvaient discuter dans la rue, vendre librement des livres, ou manifester, comme au temps de Mossadegh, est devenu, au fil des ans, un rêve lointain qui s'efface peu à peu de nos mémoires. Toute activité susceptible de provoquer la moindre contrariété de la cour se trouve désormais interdite. Le peuple est condamné au silence, il est interdit de parole, il n'a pas le droit d'exprimer son opinion, de manifester son mécontentement. Il ne lui reste qu'une seule voie : la lutte clandestine. »

Mahmud se plongea ensuite dans la lecture d'un chapitre intitulé « Alarmante situation économique, sociale et morale de l'Iran ». Il y était question de la désintégration de l'économie, des effrayantes inégalités sociales, de la dévastation de l'agriculture, de l'abrutissement de la société et de la dépression morale à laquelle le peuple avait été acculé : « Il ne faut pas prendre le silence et l'apparente résignation du peuple, lisait-il, pour de l'indifférence, encore moins pour de l'approbation. L'opposition peut trouver des formes variées et seules les masses sont capables de choisir celle qui s'adapte le mieux à la situation donnée. » Rédigé dans un style revendicatif, le texte sonnait comme un ultimatum. En conclusion, les signataires appelaient de leurs vœux réformes, démocratie et liberté. « Ils vont se faire coffrer », pensa Mahmud ; endolori et épuisé, il repoussa la déclaration, les tempes brûlantes de fièvre.]

Quelques jours plus tard, son frère vint le voir en compagnie d'un homme que Mahmud ne connaissait pas. C'était un ouvrier d'une usine d'outils de Karadj. Ce dernier raconta que les grèves se multipliaient partout. Jamais il n'y en avait eu autant que cette année. « Les grèves sont interdites et réprimées, dit-il, mais les gens n'ont pas d'autre issue, la vie est devenue insoutenable. La Savak commande les syndicats et dirige les usines, les travailleurs sont des esclaves. Les salaires augmentent, mais les prix augmentent encore plus vite, il est de plus en plus difficile de joindre les deux bouts. » De ses deux bras puissants, il simula dans l'air un mouvement de deux extrémités voulant se rejoindre mais empêchées de le faire par une force. Il raconta que les ouvriers de Karadj avaient organisé une marche sur Téhéran afin d'exiger du ministère du Travail une augmentation des salaires. L'armée était venue à leur rencontre et avait ouvert le feu sur eux. Des deux côtés, la route était bordée par le désert, il n'y avait aucun endroit où se réfugier. Ceux qui avaient réchappé du massacre étaient rentrés chez eux en portant les morts et les blessés – il y avait eu soixante-dix morts et deux cents blessés. La ville en deuil attendait l'heure de la vengeance.

« Les jours du shah sont comptés, dit le frère de Mahmud d'une voix décidée. On ne peut pas massacrer

impunément un peuple désarmé pendant des années.
– Comptés ? s'étonna Mahmud en relevant sa tête
bandée. Tu as perdu l'esprit. Tu as vu l'armée ? » Bien
sûr que son frère l'avait vue, la question était purement rhétorique. Mahmud voyait constamment les
divisions du shah au cinéma et à la télévision. Parades,
manœuvres, chasseurs, roquettes, canons d'artillerie
lourde pointés tout droit sur le cœur de Mahmud.
C'est avec dégoût qu'il scrutait les rangs des vieux généraux qui faisaient tout pour être remarqués du
monarque. « Je me demande bien comment ils se
comporteraient si une vraie bombe explosait dans les
parages, pensait Mahmud. Ils seraient sûrement ter-
rassés par une attaque cardiaque ! » De mois en mois,
blindés et mortiers envahissaient les écrans. Mahmud
pensait qu'il s'agissait d'une force redoutable, susceptible de broyer n'importe quel obstacle, de réduire
tout en poussière et en sang.

La canicule estivale s'installa. Le désert au sud de
Téhéran palpitait de chaleur. Se sentant mieux,
Mahmud décida de reprendre ses promenades vespé-
rales après une longue interruption. Un soir, il sortit
donc dans la rue. Il était tard. Il emprunta des ruelles
sombres qui contournaient un gigantesque bâtiment
sinistre construit à la va-vite. C'était le nouveau siège
du Rastakhiz. Il crut voir des silhouettes dans les
ténèbres et entendre des voix dans les buissons. Mais
il n'y avait pas le moindre buisson dans les parages. Il
essaya de se calmer. Tout tremblant, il tourna dans la
première rue. Il était conscient de sa peur qu'il savait

irrationnelle. Ayant froid tout à coup, il décida de rentrer chez lui. Il prit une rue en direction du centre ville. Soudain il entendit dans son dos les pas d'un homme. Il fut étonné, car il était persuadé que la rue était vide, il n'avait vu personne autour de lui. Il accéléra instinctivement l'allure ; l'homme qui le suivait accéléra aussi. Pendant un temps, ils marchèrent au même rythme, comme deux sentinelles. Mahmud décida alors de marcher plus vite. Son pas était bref et vif. Son poursuivant l'imita, il se rapprochait de lui. « Je ferais mieux de ralentir », décida Mahmud pour tenter d'échapper au piège. Sa peur étant néanmoins plus forte que sa raison, Mahmud allongea encore la foulée toujours dans l'intention de se débarrasser de l'homme qui le pourchassait. Mahmud avait la chair de poule. Il avait peur de le provoquer. Il pensait qu'il ne faisait que reculer le moment où il recevrait un coup. Mais l'homme derrière lui était déjà tout près, Mahmud entendait sa respiration, leurs pas se faisaient écho dans la rue. Ne pouvant se retenir, Mahmud se mit à courir. L'homme se lança aussi dans la course. Mahmud courait, sa veste flottait derrière lui comme une bannière noire. Il se rendit soudain compte que d'autres hommes s'étaient joints à son bourreau, il entendit des dizaines de pas retentissants qui s'abattaient dans son dos comme une avalanche menaçante. Il continua de courir, mais il s'essoufflait, il était trempé de sueur, à demi conscient. Il sentit qu'il allait s'effondrer d'une minute à l'autre.

À bout de forces, il se réfugia sous un porche, s'accrocha à la grille d'une fenêtre. Il avait l'impression que son cœur allait éclater. Martelées comme par des coups de poings, ses côtes lui meurtrissaient la chair.

Il finit par reprendre ses esprits. Il regarda autour de lui. La rue était déserte, un chat gris passa le long d'un mur. Lentement, en se tenant le cœur, Mahmud se traîna jusque chez lui, brisé, déprimé, vaincu.

(« Tout a démarré au printemps, avec cette attaque nocturne, quand nous sommes sortis de la réunion. À partir de ce jour, la peur ne m'a plus quitté, je la ressentais en permanence. Elle m'assaillait souvent au moment le plus inattendu, me tombait dessus quand j'y étais le moins préparé. J'avais honte, mais j'étais incapable de me maîtriser. Ça commençait à me perturber. Je compris avec effroi que la peur que je portais en moi était le fondement du système. Un lien terrifiant mais indissoluble s'était instauré entre moi et le dictateur, une sorte de symbiose pathologique. Par ma peur, je soutenais un système que par ailleurs je haïssais. Le shah pouvait compter sur moi, il pouvait compter sur ma peur, car elle ne me trahirait pas et je ne trahirais pas les calculs du monarque qui savait que je me mettrais à trembler dès qu'une voix résonnerait d'en haut. Ainsi le régime s'appuyait sur moi, c'était indéniable. Si j'avais réussi à me débarrasser de ma peur, j'aurais ébranlé un tant soit peu les fondations du trône, mais j'en étais encore incapable.

Durant tout l'été, je me suis senti mal, j'accueillais les informations que me donnait mon frère avec indifférence.

Pourtant tout le monde vivait déjà sur un volcan, la moindre étincelle pouvait allumer un incendie. Mon frère me raconta que dans la ville de Kermanshah, un cheval fou avait piétiné des gens. Venu en ville à cheval, un paysan l'avait attaché à un arbre dans la rue principale. Effrayé par les voitures, le cheval avait rué et s'était libéré, blessant dans sa course plusieurs personnes. Pour finir, un soldat avait abattu la bête. Une foule s'était rassemblée autour du cheval mort. La police était arrivée et avait commencé à disperser les gens. Une voix s'était élevée dans la foule : "Mais où se trouvait la police quand le cheval piétinait les gens ?" Une bagarre avait éclaté. Les policiers avaient ouvert le feu. Mais la foule ne cessait de grossir. La ville était en ébullition, les gens s'étaient mis à dresser des barricades. L'armée était arrivée, le gouverneur de la ville avait décrété le couvre-feu. Le frère de Mahmud demanda : "Crois-tu qu'il en aurait fallu beaucoup plus pour qu'une insurrection éclate ?" Mais comme toujours, Mahmud pensa que son frère exagérait. »)

Au début du mois de septembre, en descendant le boulevard Reza Khan, Mahmud remarqua de l'agitation dans les rues. Il vit de loin des camions militaires, des casques, des fusils, des soldats en treillis qui étaient devant l'entrée de l'université. Les soldats attrapaient des étudiants et les entraînaient vers les camions. Mahmud entendit des cris, il vit des jeunes gens qui fuyaient. C'était le jour de la rentrée universitaire.

[Il fit demi-tour et tourna dans une rue latérale. Il aperçut, collé à un mur, un tract que des passants étaient en train de lire. C'était la copie d'un télégramme envoyé au Premier ministre Amouzegar par l'avocat Mustapha Bakher.

« Vous savez sans doute qu'au cours des vingt dernières années, violant les principes de la liberté, les gouvernements ont œuvré pour que nos universités cessent d'être un lieu de connaissance. Elles ont ainsi été transformées en forteresses militaires entourées de barbelés et dirigées par la police. Cela ne pouvait que susciter la colère et le désenchantement des jeunes intellectuels. Il n'est pas étonnant qu'au cours de ces années, à Téhéran et en province, elles aient été fermées, totalement ou en partie. »

Les gens lisaient le tract et repartaient sans dire un mot.]

Soudain le hurlement d'une sirène retentit et Mahmud vit passer des camions militaires bourrés d'étudiants debout sur les plates-formes, entourés de soldats, serrés les uns contre les autres ; ils avaient les mains attachées. La rafle étant manifestement terminée, Mahmud décida d'aller chez son frère afin de le prévenir que l'armée avait fait un raid à l'université. Dans l'appartement de son frère, il retrouva un jeune professeur de lycée, Ferejdun Ganji, qu'il se souvint avoir vu pour la première fois à la soirée culturelle qui s'était terminée par l'agression de la police. Son frère lui avait raconté, après, que Ganji s'était présenté à l'école le lendemain et que le proviseur, qui avait préalablement reçu un coup de téléphone de la Savak, l'avait chassé en lui criant qu'il était un voyou et un délinquant et que c'était une honte de le laisser faire cours à des élèves. Depuis, Ganji était au chômage et errait dans la ville à la recherche d'un emploi.

Le frère de Mahmud leur proposa d'aller au bazar pour déjeuner. Dans les ruelles étroites et étouffantes entourant le bazar, Mahmud remarqua que de nombreux jeunes marchaient en titubant sous l'effet de l'opium. Certains étaient assis sur le trottoir, regardant devant eux d'un œil vitreux et absent. D'autres harcelaient les passants, les insultaient et les menaçaient du poing. « Comment la police peut-elle tolérer un tel comportement ? » demanda Mahmud. « C'est normal, rétorqua son frère, de temps en temps ce beau monde lui est fort utile. Le matin, on leur donne deux-trois sous et des matraques, après ils vont bastonner les étudiants. Puis la presse écrira des articles sur notre jeunesse saine et patriote qui, à l'appel du Parti, a donné une correction aux éléments subversifs et à la racaille terrée entre les murs de l'université. »

Les trois hommes entrèrent dans un restaurant et s'installèrent à une table au milieu de la salle. En attendant le serveur, Mahmud remarqua deux gaillards affalés à la table voisine. Ce sont des agents de la Savak, se dit-il. « Vous ne voulez pas qu'on se

172

rapproche de la porte ? », proposa-t-il à son frère et à Ganji. À peine eurent-ils changé de place que le garçon arriva. Mais le temps que son frère passe leur commande, le regard de Mahmud s'était posé sur deux types élégants assis à la table voisine qui se tenaient par la main. Ce sont des agents de la Savak qui se font passer pour des homosexuels ! pensa Mahmud avec terreur et dégoût. « Je préférerais m'asseoir près de la fenêtre, proposa-t-il à son frère et à Ganji, j'aime bien voir l'animation du bazar. » Ils changèrent une deuxième fois de table. Mais à peine eurent-ils commencé à manger que trois hommes entrèrent dans la salle. En silence, comme s'ils s'étaient donné le mot, ils s'installèrent près de la fenêtre d'où Mahmud contemplait le bazar. « Nous sommes observés, murmura-t-il tout en remarquant le regard suspicieux des serveurs, intrigués par le manège de Mahmud, de son frère et du jeune professeur. En nous voyant changer de place sans arrêt, les serveurs pensent sûrement que nous sommes des agents de la Savak en quête de proie, pensa-t-il. Mahmud avait perdu tout appétit, son repas lui restait en travers de la gorge. Il repoussa son assiette et, d'un signe de tête, signifia à son frère et à Ganji qu'il fallait partir.

Une fois arrivés chez le frère de Mahmud, ils décidèrent de se rendre en voiture dans les montagnes pour échapper, un moment, aux griffes de la ville et prendre un bol d'air frais. Ils se dirigèrent vers le nord, traversant Shemiran, le quartier des nouveaux riches qui sentait encore le ciment frais, ils passèrent devant des villas et de petits palais somptueux, des restaurants confortables, des boutiques de luxe, des jardins immenses, des clubs privés avec piscines et courts de tennis. Ici, chaque mètre carré de désert (car tout autour s'étendait le désert) coûtait des centaines, voire des milliers de dollars. Pourtant c'était un quartier très recherché, le cercle magique de l'élite de la cour, un autre monde, une autre planète. [Ils furent soudain bloqués dans un embouteillage. Quelque part à l'avant, il devait y avoir un obstacle. Ils restèrent longtemps coincés dans la file de voitures sans comprendre ce qui se passait.

« C'est encore la guerre des bulldozers ! » déclara le frère de Mahmud. Ils garèrent la voiture sur un trottoir et poursuivirent leur promenade à pied. Après un quart d'heure de marche, ils aperçurent dans la perspective de la rue des nuages de poussière qui s'élevaient dans le ciel. Le long de la rue étaient garées des voitures de police aux fenêtres grillagées, et plus loin on distinguait une foule noire en mouvement. Mahmud entendit des cris et des gémissements. Un camion passa, et il vit qu'il transportait deux cadavres recouverts de chiffons. Des coups de feu secs retentirent. Quand ils s'approchèrent, Mahmud aperçut au-dessus de la foule cinq énormes bulldozers jaunes en train d'écraser un bidonville. Puis il vit des femmes se jeter en hurlant sur les bulldozers, les chauffeurs désemparés qui arrêtaient constamment leurs engins et des policiers qui chassaient à coups de matraques les habitants défendant, de leurs corps, leurs misérables cabanes.

(« C'est bien la guerre des bulldozers, me dit alors mon frère, ça fait des mois qu'elle dure. L'élite chasse les pauvres pour prendre la place et faire construire ses maisons. Ici, l'air est le meilleur de la ville et le quartier est protégé par une caserne. Les terrains où se trouvent ces bidonvilles ont déjà été lotis. Il ne reste plus qu'à faire partir les habitants et à détruire les baraques. Shemiran détruit ainsi l'anneau de misère qui le cerne, et ses beaux quartiers pourront continuer de se développer au bénéfice des hommes proches du pouvoir. Pourtant, ils n'ont pas la tâche facile, ajouta mon frère. Parmi les habitants de ces bidonvilles, les fedayin ont organisé un véritable mouvement de résistance. Tu verras que le premier assaut contre le palais partira d'ici. »)

Mais Mahmud continuait de penser que son frère était un enthousiaste. Il ne croyait pas à ses prophéties. Ils regagnèrent leur voiture et tentèrent de sortir de la ville par des ruelles latérales. Finalement, ils réussirent à passer, atteignirent les montagnes et s'enfoncèrent dans des éboulis rocheux. Ils s'assirent à l'ombre d'un bloc de pierre incliné. Ganji sortit alors un magnétophone de son sac, y inséra une cassette et appuya sur le bouton en plastique. Mahmud entendit une voix basse et monocorde :

Au nom d'Allah clément et miséricordieux !
Frères !

175

Réveillez-vous !

Cela fait dix ans que le shah parle de développement. Or le peuple est privé des biens les plus élémentaires. Aujourd'hui, le shah fait des promesses pour les vingt-cinq années à venir. Mais le peuple sait que les promesses du shah sont de vaines paroles. L'agriculture est en ruine, la situation des ouvriers et des paysans a empiré, l'indépendance de l'économie est une fiction. Et cet homme ose parler de révolution ! Une révolution qui paralyse les forces du peuple, aliène les hommes et leur culture à une dictature étrangère ne peut être une révolution ! J'appelle les étudiants, les ouvriers, les paysans, les commerçants et les artisans à entrer en lutte pour créer un mouvement de résistance, et je tiens à vous assurer que le régime est proche de la chute.

Frères !

Réveillez-vous !

Au nom d'Allah clément et miséricordieux ! »

Le haut-parleur du magnétophone se tut. « À qui appartient cette voix ? » demanda Mahmud. « C'est Khomeyni qui parle », répondit Ganji.

Ganji avait ressuscité un univers que Mahmud avait effacé depuis longtemps de sa conscience. Les mosquées, les mollahs, le Coran, l'islam, La Mecque. Comme ses amis et connaissances, Mahmud n'avait pas fréquenté de mosquée depuis des années. Il se considérait comme un rationaliste et un sceptique, toute bigoterie le répugnait, il ne priait pas et ne croyait pas en Dieu.

(« Lors de cette rencontre, Ganji nous raconta qu'il appartenait à un groupe qui faisait circuler ces cassettes en fraude. Les appels de Khomeyni y étaient enregistrés. À cette époque, Khomeyni se trouvait en exil à Nadjaf, une petite ville irakienne où il enseignait dans une medersa. Là-bas, depuis des années, tous ses discours étaient enregistrés. Tout se faisait dans la clandestinité. Khomeyni critiquait les moindres faits et gestes du shah. Ses commentaires étaient brefs, composés de quelques phrases, ils étaient exprimés dans une langue simple et claire, de sorte qu'ils étaient accessibles et faciles à mémoriser. Chaque appel commençait et finissait par une invocation à Allah et par la formule : "Frères ! Réveillez-vous !" Ces cassettes passaient la frontière clandestinement, souvent par des chemins détournés, notamment par Paris et par Rome. Ganji nous expliqua aussi que, pour tromper la vigilance de la Savak, les textes étaient souvent enregistrés à la fin de la bande sur laquelle il y avait de la musique pop. Ces bandes étaient ensuite transmises à des personnes de connivence dont l'une était justement Ganji. Ces intermédiaires faisaient ensuite passer les bandes dans des mosquées où elles étaient remises aux mollahs. C'était de cette manière qu'ils recevaient des instructions sur les messages à transmettre dans leurs sermons et sur leur conduite à tenir. On pourrait écrire tout un livre sur le rôle joué par les cassettes de magnétophone pendant la révolution iranienne. Mais, pour moi, tout cela n'était que sensations, je ne me rendais pas compte de l'ampleur de la conspiration chiite. Je pense que le shah n'a pas non plus été capable d'en prendre la mesure même s'il recevait des informations à ce sujet. Ce jour-là, j'ai compris que je vivais à côté d'un autre monde, d'un univers souterrain dont j'ignorais tout. »)

Ils revinrent en ville.]

Les semaines suivantes furent marquées par de nouveaux manifestes, de nouvelles lettres de protestation, des lectures et des débats secrets. En novembre, un comité de défense des droits de l'homme et plusieurs associations d'étudiants furent créés clandestinement. De temps à autre, Mahmud fréquentait les mosquées de son quartier, il y voyait des foules de gens, mais le climat de piété ardente qui y régnait le laissait indifférent, il ne parvenait pas à établir le moindre contact émotionnel avec cet univers. Il voulait comprendre par lui-même où ces gens allaient. La majorité d'entre eux ne savaient même pas lire ni écrire. Un an ou peut-être un mois plus tôt, ils avaient quitté leurs villages perdus dans le désert ou les montagnes où rien n'avait changé depuis mille ans pour arriver dans cette grande ville. Ils s'étaient retrouvés dans un monde incompréhensible et hostile qui les trompait, les exploitait, les méprisait. Ils cherchaient un refuge, un répit, une protection. Tout ce qu'ils savaient, c'est que, dans cette nouvelle réalité hostile à souhait, seul Allah était le même qu'au village. Il était le même, toujours et partout.

Mahmud lisait beaucoup, il traduisait en persan London et Kipling. Se rappelant ses années londoniennes, il se rendait compte à quel point l'Europe est différente de l'Asie, et il répétait les mots de Kipling :

« L'Orient est l'Orient, l'Occident est l'Occident, et jamais, ces deux mondes ne parviendront à se comprendre. » Jamais, non, jamais ils ne se rencontreront ni ne se comprendront. L'Asie rejettera toute greffe venue d'Europe comme un corps étranger. Les Européens ont beau s'offenser, cela ne changera rien. En Europe, une époque en chasse une autre, régulièrement la terre se purge de son passé, l'homme du siècle en cours comprend difficilement ses ancêtres. Ici, c'est différent, ici le passé est aussi vivant que le présent, l'âge de pierre, cruel et immense, coexiste avec le siècle froid et calculateur de l'électronique, tous deux vivent dans l'homme qui est autant le descendant de Genghis Khan que le disciple d'Edison, à supposer, bien sûr, qu'il entre un jour en contact avec le monde d'Edison.

Une nuit, au début du mois de janvier, Mahmud entendit des coups frappés à sa porte. Il bondit du lit.

(« C'était mon frère. J'ai vu qu'il était complètement ému. Dans le couloir, il n'a prononcé qu'un seul mot : "Massacre !" Il ne voulait pas s'asseoir, il arpentait la chambre, parlait de manière chaotique. Il a dit qu'aujourd'hui la police avait tiré dans la foule à Qom. Il a cité le nombre de cinq cents morts. Beaucoup de femmes et d'enfants avaient péri. Tout avait démarré par une affaire apparemment futile. Le quotidien *Etelaat* avait publié un article critiquant Khomeyni. Il était rédigé par un homme du palais ou du gouvernement qui disait que Khomeyni était un étranger, qualificatif péjoratif dans l'imaginaire iranien. Quand le journal est arrivé à Qom, la ville de

Khomeyni, les gens se sont attroupés dans les rues et se sont mis à commenter l'article. Puis ils se sont rendus sur la place principale qui a aussitôt été encerclée par les forces de l'ordre. Des policiers se sont postés sur les toits. Pendant un certain temps, il ne s'est rien passé. Peut-être des consultations se déroulaient-elles à Téhéran. Puis un officier a appelé les gens à se disperser, mais personne n'a bougé. Il régnait un silence de plomb. Le silence a été crevé par des tirs en provenance des toits et des rues donnant sur la place, les hommes en uniforme ont ouvert le feu. La foule sur la place a été prise de panique, les gens voulaient fuir, mais ils ne savaient pas où se réfugier, les rues étaient bloquées par la police qui tirait. "Toute la place est jonchée de cadavres, a dit mon frère. Des renforts sont arrivés de Téhéran et les arrestations se poursuivent dans la ville. Des hommes innocents ont péri, leur seul crime a été de se trouver sur la place." Je me souviens que le lendemain la ville entière de Téhéran était agitée, des jours sombres et terribles s'annonçaient. »)

LA FLAMME MORTE

Cher Bon Dieu,
Pourquoi ne laisses-tu pas le soleil briller la nuit
quand nous en avons le plus besoin ?

Debbie

Lettres d'enfants au Bon Dieu,
Éditions Pax, 1978.

C'est la révolution qui mit un terme au règne du shah. C'est elle qui détruisit le palais et enterra la monarchie. Tout commença par une erreur apparemment ridicule commise par le pouvoir impérial. Ce faux pas signa son arrêt de mort.

En général, les causes d'une révolution sont à chercher dans des facteurs objectifs : misère généralisée, oppression, abus scandaleux. Bien que juste, cette vision demeure unilatérale. En effet, ces facteurs se trouvent réunis dans une centaine de pays sans jamais ou presque provoquer de révolution. Il faut qu'il y ait conscience de la pauvreté, conscience de l'oppression, conviction que la pauvreté et l'oppression ne sont pas dans l'ordre de la nature. L'expérience, si douloureuse soit-elle, est loin d'être suffisante. Ce qui est nécessaire, c'est la parole, ce qui est indispensable, c'est la pensée explicative. Aussi, bien plus que les explosifs et les poignards, ce sont les mots qui sont la bête noire des tyrans, les mots qu'ils ne peuvent contrôler, qui circulent librement, clandestinement, subversivement, les mots qui ne sont pas engoncés dans un uniforme de gala ni tamponnés d'un cachet officiel. Il arrive toutefois que les mots en uniforme ou les mots tamponnés provoquent une révolution.

Il convient de distinguer la révolution du coup d'État, de la révolution de palais. Un coup d'État et une révolution de palais peuvent être planifiés, une révolution jamais. Une révolution est toujours imprévisible, le moment où elle éclate prend tout le monde au dépourvu, même ceux qui l'appelaient de leurs vœux. Ils restent ébahis devant le cyclone qui surgit soudainement et détruit tout sur son passage. Sa violence est telle qu'il finit par dévaster les slogans qui l'ont engendré.

Il est faux de penser que les peuples lésés par l'Histoire (ils sont majoritaires) vivent dans l'obsession de la révolution, qu'ils voient en elle le dénouement le plus naturel. Chaque révolution est un drame, et l'homme évite instinctivement les situations dramatiques. Même s'il est plongé dans le malheur, il cherche fiévreusement à y échapper, il aspire à la paix et le plus souvent à la routine. Aussi les révolutions ne durent-elles jamais longtemps. La révolution est l'ultime recours. Si le peuple décide de faire appel à elle, c'est qu'il ne lui reste pas d'autre solution, que toutes les autres tentatives se sont soldées par un fiasco, que tous les autres moyens ont échoué.

Chaque révolution est précédée par un climat d'épuisement général et d'agressivité électrique. Le pouvoir ne supporte plus le peuple qui l'irrite, le peuple ne peut plus souffrir le pouvoir qu'il hait. Le pouvoir a dilapidé toute sa crédibilité et se retrouve les mains vides, le peuple a épuisé toutes ses réserves de patience et serre les poings. L'atmosphère est de plus en plus tendue, étouffante, oppressante. Tout le monde sombre doucement dans une psychose de terreur. L'explosion est imminente. Tout le monde le sent.

En ce qui concerne la technique de lutte, l'Histoire connaît deux types de révolution. Le premier est la révolution par assaut, le second la révolution par siège. Dans le cas de la révolution par assaut, c'est la portée du premier coup qui décide de son destin, de son succès. Frapper et occuper le maximum de terrain ! C'est primordial, car ce type de révolution reste superficiel malgré son extrême violence. L'adversaire est battu, mais en cédant la place il conserve une partie de ses forces. Il va contre-attaquer, contraindre les vainqueurs à reculer. Aussi, plus le premier coup porte loin, plus il sera possible de sauver du terrain en dépit des concessions ultérieures. Dans une révolution par assaut, la première étape est radicale. Les étapes suivantes sont un recul, lent mais constant, jusqu'au moment où les deux forces (celles qui se sont révoltées et celles contre qui a été dirigée la révolution) trouvent un ultime compromis. En revanche, lors d'une révolution par siège, le premier coup est généralement faible, il est difficile de s'imaginer qu'il annonce un cataclysme. Mais bientôt les événements s'accélèrent et prennent un tour dramatique. Les gens sont de plus en plus nombreux à y participer. Les remparts derrière lesquels le pouvoir se protège s'écroulent progressivement et explosent. Le succès d'une révolution par siège dépend de la détermination des révoltés, de leur volonté et de leur endurance. Encore un jour ! Encore un jour d'effort ! Les portes finissent par céder. La foule se précipite à l'intérieur et célèbre son triomphe.

C'est le pouvoir qui provoque une révolution. Inconsciemment, bien entendu. Mais son train de vie, sa manière de gouverner finissent par devenir une provocation. Cela se produit lorsqu'un sentiment d'impunité s'installe parmi l'élite. Tout lui est permis. C'est une illusion, certes, mais qui repose sur des bases rationnelles. Pendant un certain temps, effectivement, il semble que l'élite puisse tout se permettre. Ses scandales et ses abus se succèdent sans jamais l'éclabousser d'opprobre. Le peuple se tait, il est patient et prudent. Il a peur, il ne sent pas encore sa propre force. Il encaisse scrupuleusement les coups en tenant un compte détaillé. Puis un beau jour, il fait l'addition. La survenue de ce moment est la plus grande énigme de l'Histoire. Pourquoi est-ce arrivé ce jour-ci et non ce jour-là ? Pourquoi le pouvoir a-t-il été précipité par cet événement-ci et non par cet événement-là ? En effet, la veille encore, il se permettait les pires excès sans que personne ne réagisse. « Qu'ai-je pu faire de si terrible pour qu'ils se déchaînent ? » se demande le souverain, étonné. Justement, il a abusé de la patience du peuple. Mais où se trouve la limite de cette patience ? Comment la définir ? Si tant est qu'il existe une réponse à cette question, elle sera différente pour chaque cas. Une seule chose est sûre : les souverains qui connaissent l'existence de cette limite et savent la respecter peuvent compter sur un règne durable. Ils ne sont guère nombreux.

Comment le shah viola-t-il cette limite et par là même se condamna-t-il ? Un article est à l'origine de sa chute. Un mot imprudent peut faire exploser le plus grand empire, les hommes au pouvoir devraient le savoir. Ils croient le savoir, ils croient le sentir, mais à un moment donné leur instinct de conservation les trahit. Présomptueux, ils pèchent par arrogance et périssent. Le 8 janvier 1978, le journal gouvernemental *Etelaat* publia un article critiquant Khomeyni. À cette époque, Khomeyni vivait en exil d'où il luttait contre le shah. Persécuté par le despote puis chassé de son pays, il était devenu une idole et la conscience du peuple. Détruire le mythe de Khomeyni, c'était détruire une valeur sacrée, ruiner les espoirs des humiliés et des offensés. Telle était l'intention de l'article.

Que faut-il écrire pour anéantir un adversaire ? Le mieux, c'est de prouver qu'il est étranger. La notion de vraie famille a été créée dans ce but. Ici, nous formons une vraie famille, toi et moi, nous et vous, le pouvoir et le peuple. Nous vivons dans l'entente, nous nous sentons bien ensemble, nous restons entre nous. Nous avons un toit commun, une table commune, nous nous comprenons, nous nous aidons les uns les autres. Malheureusement, nous ne sommes pas seuls. Nous sommes cernés par des étrangers qui ne pensent qu'à détruire notre paix et occuper notre maison. Qui sont ces étrangers ? Ce sont avant tout des êtres foncièrement mauvais et dangereux. Encore, s'ils se contentaient d'être mauvais et qu'ils restaient passifs ! Mais non ! Ils sèment le trouble et la discorde. Ils brouillent les gens et les trompent. Ils les guettent, ils sont la cause de leurs malheurs. D'où tirent-ils leur pouvoir ? Du soutien de forces étrangères, identifiables ou non, mais puissantes à tous les coups. En fait, elles sont puissantes si nous les traitons à la légère. Si, en revanche, nous restons vigilants et que nous luttons contre elles, nous les battrons. Regardez un peu ce Khomeyni ! Il est étranger. Son grand-père était d'origine indienne. Quels peuvent bien être les intérêts de ce petit-fils d'étranger ? C'est la première partie de l'article. La seconde partie est consacrée à la santé. C'est formidable que nous soyons sains ! Car notre famille est saine également ! Saine de corps et saine d'esprit. À qui devons-nous ce bienfait ? À notre pouvoir qui nous assure une vie belle et heureuse. Nous avons donc le meilleur pouvoir au monde. Qui pourrait s'opposer à lui ? Seul un être dépourvu de bon sens. Il faut être fou pour combattre le meilleur pouvoir au monde. Une société saine doit isoler les fous, elle doit les exiler. Le shah a bien fait d'expulser Khomeyni du pays, sinon il aurait fallu l'enfermer dans un asile d'aliénés.

Cet article parvint dans la ville de Qom et mit la population en effervescence. Les gens commencèrent à se rassembler dans les rues et sur les places. Ceux qui savaient lire en faisait la lecture aux autres. Bouleversés, les gens formaient des groupes de plus en plus grands, ils criaient et discutaient (les Iraniens adorent les discussions interminables, n'importe où, à n'importe quelle heure du jour et de la nuit). Comme des aimants, les groupes les plus enflammés attiraient sans cesse de nouveaux badauds et de nouveaux auditeurs. Pour finir, une foule immense se retrouva sur la place principale de Qom. C'est justement le genre de choses que la police déteste. Qui a donné l'autorisation d'un tel attroupement ? Personne. Aucune autorisation n'a été donnée par personne. Qui a donné l'autorisation de crier ? Qui a permis d'agiter les bras ? La police sait d'avance qu'il s'agit de questions rhétoriques et qu'il est temps de passer à l'acte.

L'instant où un policier quitte son poste pour aborder un homme dans la foule et, d'une voix sonore, le sommer de rentrer chez lui est décisif ; il va sceller le destin du pays, du shah et de la révolution. Le policier et l'homme de la foule sont tous deux des êtres ordinaires, anonymes, mais leur rencontre revêt une signification historique. Tous deux sont des adultes, tous deux ont un vécu, une expérience. Celle du policier : si je crie et que je brandis ma matraque, l'homme en face sera tétanisé et prendra la fuite. Celle de l'homme de la foule : à la vue du policier qui approche je me transforme en peur et je prends la fuite. La suite du scénario peut être imaginée sur la base de ces deux expériences : le policier crie, l'homme prend la fuite, les autres s'engouffrent derrière lui, la place se vide. Cette fois-ci pourtant, tout se passe autrement. Le policier crie, mais l'homme ne prend pas la fuite. Il reste debout et regarde le policier. Son regard est prudent et encore un peu craintif, mais peu à peu il devient dur et insolent. Parfait ! L'homme de la foule regarde avec insolence l'agent en uniforme. Il ne bronche pas. Puis il regarde autour de lui, il voit les regards des autres. Ils sont comme le sien : prudents et encore un peu craintifs, mais peu à peu ils se font durs et inflexibles. Personne ne fuit bien que le policier continue de crier. Il finit par se taire. Un silence pesant s'installe. Le policier et l'homme de la foule se rendent-ils compte de ce qui se passe ? Nul ne le sait. L'homme de la foule a cessé d'avoir peur. Jusqu'à présent, à chaque fois que ces deux hommes s'approchaient l'un de l'autre, une tierce personne s'interposait aussitôt entre eux : la peur. Elle s'interposait comme alliée du policier et comme ennemie de l'homme de la foule. Elle imposait ses règles, elle décidait de tout. Or maintenant, les deux hommes se retrouvent face à face, la peur a disparu, elle s'est volatilisée. Jusqu'alors, leurs relations étaient chargées d'émotions, mélange d'agressivité, de mépris, de fureur et de peur. Dès que la peur a disparu, ce rapport pervers et haïssable s'est soudain désintégré, quelque chose s'est éteint. Les deux hommes sont face à face, indifférents, inutiles, chacun peut poursuivre son chemin. Le policier fait demi-tour et se dirige d'un pas lourd vers son poste tandis que l'homme de la foule reste sur la place et suit du regard son ennemi qui s'éloigne.

La peur : un prédateur vorace tapi en nous qui nous rappelle toujours à son bon souvenir. Elle nous paralyse et nous torture. Toujours inassouvie, elle réclame sans cesse sa pitance. Nous lui réservons les plats les meilleurs. Son mets favori est le ragot sinistre, la mauvaise nouvelle, la pensée alarmante, l'image cauchemardesque ; nous choisissons toujours les pires, ceux que le monstre préfère. Pour le calmer, pour l'apprivoiser. Quand un homme blêmit et s'agite nerveusement en écoutant un autre homme, il y a de fortes chances pour qu'il soit en train de nourrir sa peur. Quand nous n'avons rien à lui donner en pâture, nous inventons fébrilement toutes sortes d'horreurs. Si nous sommes à cours d'imagination (ce qui arrive rarement), nous nous précipitons vers les autres pour les interroger, les écouter et nous rassemblons les pires nouvelles pour la rassasier.

Tous les livres sur toutes les révolutions commencent par un chapitre sur la corruption du pouvoir chancelant ou sur la misère et les souffrances du peuple, alors que le premier chapitre devrait parler de la psychologie des insurgés, de la manière dont un homme humilié, terrifié brise soudain le cercle de la peur, dire comment il cesse d'avoir peur. Ce processus inhabituel, qui parfois se produit en un instant, comme une décharge, une purification, mériterait d'être étudié. L'homme se débarrasse de sa peur, il se sent libre. Sans ce phénomène il n'y aurait pas de révolution.

Le policier retourne à son poste et fait un rapport au commandant. Le commandant envoie des tireurs sur les toits des immeubles autour de la place. Lui-même se rend en voiture au centre de la ville et par les haut-parleurs exhorte la foule à se disperser. Personne, toutefois, ne l'écoute. Il se réfugie alors dans un lieu sûr et donne l'ordre d'ouvrir le feu. Du haut des toits, des armes automatiques crachent des cascades de balles. La foule est prise de panique, la rumeur s'amplifie, ceux qui le peuvent fuient. Les tirs cessent. La place est jonchée de cadavres.

Nul ne sait si les photos prises par la police au moment du massacre furent montrées au shah. Il peut les avoir vues comme il peut ne les avoir pas vues. Le shah travaillait beaucoup. Il manquait probablement de temps. Sa journée commençait à sept heures du matin pour se terminer à minuit. Il ne se reposait vraiment qu'en hiver quand il allait skier à Saint-Moritz. Et même là-bas il ne s'autorisait que deux ou trois descentes en ski, puis regagnait sa résidence pour se remettre au travail. Mme L. se rappelle que l'impératrice se comportait à Saint-Moritz de manière très démocratique. Comme preuve, elle me montre une photographie où l'on voit l'épouse du shah faire la queue pour prendre le téléphérique. Oui, parfaitement, elle est là, belle, svelte, souriante, appuyée sur ses skis. Pourtant, ils avaient tant d'argent qu'elle aurait pu se faire construire un téléphérique pour elle toute seule !

Ici, on enveloppe les morts dans des linceuls blancs puis on les met dans des cercueils en bois. Ceux qui portent les cercueils marchent d'un pas alerte, parfois même ils galopent. Tout le cortège se hâte, on entend des cris et des lamentations, les employés des pompes funèbres sont agités et excités, comme si le défunt les énervait par sa présence, comme s'ils voulaient le livrer au plus vite à la terre. Puis on dépose des aliments sur la tombe pour le banquet funéraire. Quiconque passe est invité à y prendre part. Si on n'a pas faim, on ne consomme qu'un fruit, une pomme ou une orange, mais on doit obligatoirement manger quelque chose.

Le lendemain commence la période de deuil. Les gens commémorent la vie du mort, son bon cœur, sa droiture. Cette période dure quarante jours. Le quarantième jour, la famille, les amis et les connaissances se réunissent dans la maison du défunt. Les voisins, toute la rue, tout le village, une foule de gens entourent sa demeure. Une foule qui s'adonne au souvenir, aux larmes, aux lamentations. La douleur et le chagrin atteignent leur apogée au terme d'un crescendo poignant de plaintes et de pleurs. Si la mort a été naturelle, conforme à la destinée humaine, le rassemblement, qui peut durer un jour et une nuit, finit par se figer dans un climat de torpeur et de résignation après des heures d'épanchements extatiques et déchirants. Mais si la mort a été violente, si elle a été infligée par autrui, les gens sont pris d'un appétit de vengeance, d'une soif de représailles. Le nom de l'assassin, du responsable de leur malheur est clamé dans une atmosphère de colère déchaînée et de haine exacerbée. Même s'il se trouve à cent lieues de là, il ne peut que trembler de peur : ses jours sont en effet comptés.

Bafoué par un despote, réduit au rang d'objet, dégradé, un peuple cherche un refuge, un lieu où il puisse se terrer, se murer, rester lui-même. C'est indispensable s'il veut garder sa personnalité, son identité ou tout simplement sa banalité. Or un peuple tout entier ne peut émigrer. Alors, au lieu de voyager dans l'espace, il voyage dans le temps. Il se tourne vers le passé qui, comparé aux tourments et aux menaces de la réalité qui l'entourent, lui apparaît comme un paradis perdu. Il retrouve la sécurité dans des coutumes anciennes, si anciennes et donc si sacrées que le pouvoir n'ose pas les combattre. C'est la raison pour laquelle toute dictature s'accompagne, bon gré mal gré, d'une renaissance progressive de traditions, croyances et symboles anciens. Le passé prend un sens nouveau, une signification provocante. Souvent timide et clandestin au début, ce processus se renforce et s'étend au fur et à mesure que la dictature devient insupportable. On peut, certes, objecter qu'il s'agit d'un retour au Moyen Âge. Mais le plus souvent, c'est une manière, pour le peuple, de manifester son opposition. Puisque le pouvoir prétend incarner le progrès et la modernité, nous allons montrer que nos valeurs sont différentes. Cette réaction est davantage le reflet d'un dépit politique qu'un désir de revenir au monde oublié des ancêtres. Pour peu que la vie devienne meilleure, les vieilles coutumes perdent aussitôt leur contenu émotionnel et reprennent la forme rituelle qu'elles ont toujours eue.

La commémoration des défunts, quarante jours après leur mort, fait partie des coutumes qui se sont soudain transformées en acte politique sous l'influence d'une opposition croissante. Les cérémonies rassemblant la famille, les amis et les voisins se sont muées en réunions de protestation. Quarante jours après les événements de Qom, les gens se sont réunis dans les mosquées de nombreuses villes iraniennes pour commémorer les victimes du massacre. À cette occasion, la tension a atteint un tel paroxysme à Tabriz qu'une insurrection a éclaté dans la ville. La foule défilait dans les rues en hurlant : « Mort au shah ! » L'armée est intervenue et a écrasé la révolte dans le sang. Il y a eu des centaines de tués, des milliers de blessés. Quarante jours après, les villes ont repris le deuil, l'heure de la commémoration du massacre de Tabriz avait sonné. À Ispahan, la foule a crié dans la rue son désespoir et sa colère. L'armée a entouré les manifestants et a ouvert le feu. De nouveau des morts sont tombés. Quarante jours après, des foules endeuillées se sont rassemblées dans des dizaines de villes pour commémorer les morts d'Ispahan. De nouveau, manifestations et massacres. Puis, au bout de quarante jours, le même scénario s'est répété à Meshed. Puis à Téhéran, une fois, deux fois, et pour finir dans toutes les villes du pays.

Ainsi, la révolution iranienne fut rythmée par des explosions qui éclatèrent tous les quarante jours. Tous les quarante jours se produisait une déflagration de désespoir, de colère et de sang. À chaque fois, elle était plus horrible, à chaque fois les foules et les victimes étaient plus nombreuses. Le mécanisme de la terreur se mit à fonctionner à l'envers. La terreur, qui a pour but d'effrayer, incitait maintenant le peuple à poursuivre la lutte, à s'insurger toujours et encore.

Le réflexe du shah a été typique pour un despote : commencer par frapper et écraser, puis réfléchir. D'abord exhiber ses muscles, montrer sa force, puis éventuellement prouver qu'on a aussi une tête. Le pouvoir despotique attache toujours plus d'importance à la démonstration de sa force qu'à celle de sa sagesse. Du reste, qu'est la sagesse dans la conception d'un despote ? La capacité d'appliquer la force. Est sage celui qui sait comment et quand frapper. Cette manifestation constante de la force est une nécessité, car toute dictature s'appuie sur les instincts les plus bas qu'elle suscite chez ses sujets : la peur, l'agressivité, la flagornerie. La terreur attise très efficacement de tels instincts, or la peur de la force est le ressort de la terreur.

Tout despote est convaincu que l'homme est un être vil. Sa cour est remplie de créatures abjectes, son entourage de médiocrités. Si elle est terrorisée, une société se comportera longtemps comme une masse docile et incapable de réfléchir. Il suffit de la nourrir pour qu'elle obéisse. Il suffit de la distraire pour qu'elle soit heureuse. L'arsenal de ficelles politiques est en fin de compte très pauvre, il n'a pas changé au cours des millénaires. Ce qui explique le nombre d'amateurs en politique persuadés qu'il suffit d'avoir le pouvoir pour gouverner. Mais il arrive parfois des choses surprenantes. Une foule bien nourrie et divertie peut, par exemple, cesser d'être obéissante. Elle se met soudain à revendiquer autre chose que des distractions. Elle exige de la liberté, veut de la justice. Le despote est stupéfié. La réalité lui montre l'homme dans toute sa plénitude, dans toute sa richesse. Mais cette image menace la dictature, elle lui est hostile. La dictature fait donc tout pour détruire cet homme.

Bien qu'elle méprise le peuple, la dictature éprouve le besoin d'être reconnue par lui. Bien qu'elle ignore la loi – ou plutôt parce qu'elle l'ignore –, la dictature se soucie beaucoup des apparences de la légalité. Elle est très sensible sur ce point, maladivement même. Par ailleurs, elle doute beaucoup d'elle-même (même si ce complexe est profondément caché). Elle ne ménage donc pas ses peines pour prouver, à elle-même et aux autres, à quel point elle jouit de l'appui et de l'approbation du peuple. Elle est satisfaite même si ce soutien n'est qu'apparent. Qu'importe, d'ailleurs, si ce n'est qu'illusoire ! L'univers de la dictature repose sur les apparences.

Le shah éprouvait, lui aussi, le besoin d'être approuvé. Aussi, une fois les dernières victimes du massacre enterrées, une manifestation de soutien au monarque fut organisée à Tabriz. Des militants du parti du shah, le Rastakhiz, furent rassemblés sur un immense terrain municipal. Ils portaient des portraits de leur leader dont la tête était dominée par un soleil. Le gouvernement tout entier était dans les tribunes. Le Premier ministre, Jamshid Amouzegar, fit un discours devant la foule réunie. « Comment une poignée d'anarchistes et de nihilistes peut-elle détruire l'unité du peuple et troubler sa paix ? » demandait l'orateur. Il insistait sur le petit nombre des perturbateurs : « Ils sont si peu nombreux qu'on ne peut même pas parler de groupe. Il s'agit à peine d'un groupuscule ! » Heureusement, ajouta-t-il, des messages affluent du pays tout entier pour condamner ceux qui veulent ruiner nos foyers et notre bien-être. Une résolution de soutien au shah fut ensuite votée. Après le rassemblement, une partie des manifestants rentrèrent chez eux discrètement. La plupart furent raccompagnés en car dans les villes voisines d'où ils avaient été amenés pour la circonstance.

Après cette manifestation, le shah se sentit soulagé. Il semblait avoir retrouvé son aplomb. Jusqu'à présent, il avait joué avec des cartes tachées de sang. Désormais, il jouerait avec des cartes propres. Pour gagner la sympathie du peuple, il limogea quelques officiers ayant fait tirer sur la population à Tabriz. Un orage de mécontentement gronda parmi les généraux.

Pour calmer les généraux, il ordonna de tirer sur les habitants d'Ispahan. Le peuple répondit par une explosion de colère et de haine. Voulant calmer le peuple, il destitua le chef de la Savak. La Savak fut prise de rage. Pour amadouer la Savak, il l'autorisa à arrêter qui bon lui semblait. Ainsi, de zigzag en méandre, de volte-face en virevolte, le shah s'approchait, pas à pas, du précipice.

Certains reprochent au shah d'avoir fait preuve d'indécision. Selon eux, un homme politique doit être résolu. Mais résolu à quoi ? Le shah était résolu à se maintenir sur le trône. Pour y parvenir, il essayait tous les scénarios. Tantôt il réprimait dans le sang, tantôt il faisait preuve de clémence. Il enfermait puis il libérait. Il destituait les uns et promouvait les autres. Un jour il menaçait, le lendemain il félicitait. Tout cela en vain. Les gens ne voulaient plus du shah, ils ne voulaient plus de ce pouvoir.

C'est la vanité qui mena le shah à sa perte. Il se considérait comme le père du peuple, mais le peuple se révolta contre lui. Le shah fut choqué par cette révolte, il en fut affligé. Il voulait à tout prix (au prix du sang également, hélas !) restaurer l'image ancienne et chérie d'un peuple heureux qui se prosterne de gratitude devant son bienfaiteur. Mais il oubliait qu'il vivait à une époque où les peuples revendiquent des droits et n'implorent plus la grâce.

Il se peut aussi qu'il ait été perdu pour avoir pris son rôle trop à la lettre, trop au sérieux. Il croyait sans doute que le peuple l'adorait, qu'il le considérait comme son élément le meilleur, comme l'être suprême. Or, soudain, il vit le peuple révolté. Ce fut, pour lui, un choc. Il ne le supporta pas nerveusement, il considérait qu'il devait réagir séance tenante. D'où ses décisions violentes, hystériques, folles. Peut-être lui manqua-t-il une certaine dose de cynisme. Il aurait pu se dire : ils manifestent ? C'est dur, mais tant pis ! Combien de temps peuvent-ils tenir ? Six mois ? Un an ? Je pense pouvoir supporter cette épreuve. En tout cas, je ne bougerai pas du palais. Déçus et amers, les gens auraient fini, bon gré mal gré, par rentrer chez eux, car on ne peut demander à des gens de passer leur vie à manifester dans la rue. Le shah ne savait pas attendre. Or, en politique, il faut savoir attendre.

Le fait de ne pas connaître son propre pays a également contribué à sa perte. Le shah passait sa vie enfermé dans son palais. Quand il sortait, c'était comme s'il quittait une pièce bien chauffée pour mettre la tête dehors par un temps glacial. Il sortait frileusement son nez pour le rentrer aussitôt. Or nul n'ignore que la vie de tous les palais est soumise aux mêmes lois déformantes et destructrices. Il en est ainsi depuis la nuit des temps et il en sera toujours ainsi. On peut construire des dizaines de nouveaux palais, ils seront aussitôt dominés par des lois identiques, des lois qui existaient dans les palais érigés il y a cinq mille ans. La seule issue consiste à traiter un palais comme un lieu de passage, comme nous traitons un tramway ou un autobus. Nous y montons, voyageons un certain temps mais finissons toujours par descendre. Et c'est très bien de descendre au bon arrêt, de ne pas le rater.

Quand on vit dans un palais, le plus difficile est d'imaginer une autre vie. Par exemple, la sienne mais sans palais, en dehors de lui, ailleurs. L'homme a toutes les peines du monde à se représenter une telle situation. Mais il finit toujours par trouver des gens qui le soutiennent. Malheureusement l'issue est parfois sanglante. Il s'agit du problème de l'honneur en politique. De Gaulle était un homme d'honneur. Il perdit le référendum, rangea les dossiers de son bureau, quitta le palais pour ne plus jamais y revenir. Il ne voulait gouverner qu'à la condition d'être accepté par la majorité. À partir du moment où la majorité lui refusa sa confiance, il partit. Mais les hommes comme lui se comptent sur les doigts de la main. La plupart gémissent, mais ils restent, ils continuent de faire souffrir le peuple sans sourciller. Si on les met dehors, ils reviennent par la fenêtre, si on leur fait dévaler l'escalier, ils le remontent à quatre pattes. Ils se justifient, ils rampent, ils mentent, ils minaudent, ils font tout pour ne pas partir, tout pour revenir. Ils montrent leurs mains : Regardez, elles ne sont pas tachées de sang ! Mais le seul fait d'avoir à les montrer est infamant. Ils retournent leurs poches : Regardez, elles sont presque vides ! Mais le seul fait d'avoir à retourner ses poches est humiliant. En quittant le palais, le shah pleurait. À l'aéroport, il pleurait encore. Par la suite, dans des interviews, il révélait le montant de sa fortune en expliquant qu'il avait beaucoup moins d'argent qu'on ne pensait. Comme tout cela est pitoyable et lamentable !

J'ai passé des journées entières à errer dans Téhéran. Sans destination, sans but. Je fuyais le vide de ma chambre qui me tourmentait ainsi que les harcèlements et l'agressivité de ma femme de ménage, une vraie sorcière. Elle me réclamait sans cesse de l'argent. Elle prenait mes chemises propres et repassées que j'avais récupérées à la blanchisserie, les jetait dans une bassine d'eau, les chiffonnait, les suspendait à un fil puis réclamait de l'argent. De l'argent pour quoi ? Pour avoir fripé mes chemises ? Dépassant de son tchador, sa main maigre restait tendue. Je savais qu'elle n'avait pas un sou. Mais moi aussi j'étais fauché. Elle était incapable de le comprendre. Pour elle, un homme venant de l'étranger était forcément riche. La patronne de l'hôtel haussait les épaules : « Je n'y suis pour rien. Ce sont là les conséquences de la révolution, mon cher monsieur, le pouvoir est désormais entre les mains de ces gens-là ! » Elle me considérait comme son allié naturel, comme un contre-révolutionnaire. Elle estimait que j'avais des idées libérales, or les libéraux, qui étaient catalogués comme des

hommes du centre, étaient la cible d'attaques viru-
lentes. Il fallait choisir entre le Diable et le Bon Dieu !
La propagande officielle exigeait de chacun une prise
de position claire et nette. Le temps des purges – ou
du flicage mutuel et généralisé, comme on disait –
avait sonné.

J'ai passé le mois de décembre à errer dans la ville.
Le soir du nouvel an 1979 est arrivé. Un collègue m'a
téléphoné pour m'inviter à une soirée, une petite fête
organisée dans la discrétion. J'ai refusé, prétextant que
j'avais d'autres plans. « Lesquels ? » s'est étonné mon
collègue, car il n'y avait vraiment pas grand-chose à
faire ce soir-là à Téhéran. « Des plans étranges », ai-
je répondu, ce qui n'était pas loin de la réalité. J'avais
en effet décidé de me rendre à l'ambassade des États-
Unis le soir du réveillon. Je voulais voir à quoi ressemblait, à ce moment-là, ce lieu dont parlait le monde
entier. C'est ce que j'ai fait. Je suis sorti de l'hôtel à
onze heures, le trajet n'était ni long – peut-être deux
kilomètres – ni difficile, car la route descendait. Il
gelait à pierre fendre, un vent sec et glacé soufflait
dans la ville – une tempête de neige devait faire rage
dans les montagnes. J'ai descendu les rues désertes
sans voir un passant, une patrouille, personne à part
un vendeur de cacahuètes assis dans son échoppe
place ValiAhd, emmitouflé dans des châles de laine
comme nos vendeurs de la rue Polna à Varsovie. Je
lui ai acheté un sachet d'arachides et lui ai donné une
généreuse poignée de rials, mon cadeau de Noël. Il a
pris les pièces, a retiré la somme que je lui devais et

m'a rendu le reste avec un air sérieux et digne. Mon geste, qui cherchait un contact, provisoire certes, avec un habitant de cette cité morte et glacée, tomba ainsi à l'eau. J'ai poursuivi mon chemin en regardant les devantures de boutiques de plus en plus misérables, j'ai tourné dans l'avenue Takhte Jamshid, je suis passé devant un cinéma et une banque incendiés, un hôtel vide et les bureaux tout noircis d'une compagnie aérienne. J'ai fini par arriver à l'ambassade. De jour, ce lieu rappellait une immense foire populaire, un bivouac grouillant d'orateurs, une tribune où les gens venaient se défouler et crier. On pouvait y invectiver les puissants de ce monde en toute impunité. Les volontaires ne manquaient pas, l'endroit est toujours bondé. Mais à cette heure (il était près de minuit), il n'y avait pas un chat. J'ai arpenté la vaste scène éteinte, abandonnée par son dernier acteur. Il ne restait plus que les décors qui traînaient négligemment par terre et une terrible atmosphère d'abandon. Le vent agitait des lambeaux de bannières et fouettait bruyamment une immense toile sur laquelle un troupeau de diables se chauffaient aux flammes de l'enfer. Un peu plus loin, Carter, coiffé d'un haut-de-forme étoilé, agitait un sac bourré d'or tandis qu'à ses côtés 'Ali, l'imam inspiré, se préparait au martyre. Sur l'estrade où des orateurs exaltés enflammaient les foules se trouvaient encore des micros et des haut-parleurs. La vue de ces appareils muets renforçait encore l'impression de vide et de mort. Je me suis approché de l'entrée principale. Comme de coutume elle était fermée par une

207

chaîne et un cadenas, la serrure cassée par la foule lors de la prise d'assaut de l'ambassade [1] n'ayant toujours pas été réparée. Transis de froid et recroquevillés contre un haut mur de brique, deux jeunes gens, mitraillettes à l'épaule, des étudiants de la Ligue de l'imam, montaient la garde. J'avais l'impression qu'ils somnolaient. Au fond, entre des arbres, se trouvait un bâtiment éclairé. C'est là que les otages étaient enfermés. J'ai eu beau scruter toutes les fenêtres, je n'ai vu personne, pas une silhouette, pas une ombre. J'ai regardé ma montre. Il était minuit, du moins à Téhéran, c'était la nouvelle année. Dans le monde, des horloges sonnaient douze coups, le champagne pétillait, les gens fêtaient l'événement dans la joie et l'allégresse, dansaient dans des salles colorées et illuminées. Mais tout cela se passait sur une autre planète d'où ne parvenait aucun écho, aucun rayon de lumière. Debout, grelottant de froid, je me suis soudain demandé pourquoi j'avais quitté ce monde pour venir ici, dans l'endroit le plus désolé et déprimant qui fût. Je l'ignorais. J'avais simplement pensé que ce soir-là il fallait que je m'y trouve. Je ne connaissais

1. Le 4 novembre 1979, quelques 400 « étudiants islamiques » prennent d'assaut l'ambassade américaine à Téhéran et retiennent 53 personnes en otages, auxquelles s'ajoutent 3 autres capturées au ministère des Affaires étrangères. 13 des 56 otages sont libérés dans les deux semaines qui suivent, ainsi qu'un quatorzième en juillet 1980. Les otages restent 444 jours en détention. Après leur libération, ils dénoncent la torture psychologique qu'ils subirent à l'époque (*NdT*).

personne ici, ni les cinquante otages américains, ni les deux Iraniens avec qui je ne pouvais même pas communiquer. Peut-être avais-je cru qu'il se passerait quelque chose. Ce ne fut pas le cas.

L'anniversaire du départ du shah et de la chute de la monarchie approche. À cette occasion, la télévision diffuse des dizaines de films sur la révolution. Tous se ressemblent plus ou moins, tous reproduisent les mêmes images et les mêmes situations. L'acte premier se compose de scènes présentant un immense cortège d'une ampleur indescriptible. Un fleuve humain, large, plein de remous, qui coule sans fin, déferle dans la rue principale de l'aube au crépuscule. Un déluge, violent, qui semble vouloir tout absorber, tout engloutir, tout noyer. Une forêt de poings menaçants qui se lèvent en rythme, une forêt menaçante. Une foule qui chante, qui scande : « Mort au shah ! » Peu de gros plans, peu de portraits. Les cameramen sont fascinés par le spectacle de cette marée inexorable, ils sont envoûtés par l'envergure du phénomène qu'ils contemplent comme s'ils se trouvaient au pied de l'Everest. Au cours des derniers mois de la révolution, ces millions de manifestants ont submergé les rues de toutes les villes iraniennes. Des foules sans arme dont la seule force reposait sur le nombre et la fermeté, la détermination et l'inflexibilité. Tous ont envahi la rue. Ce mouvement de masse caractérise la révolution iranienne.

L'acte II est plus dramatique. Des cameramen sont juchés sur les toits des maisons avec leurs caméras. La scène qui vient de commencer va être filmée des hauteurs. Tout d'abord, ils montrent ce qui se passe dans la rue : deux chars et deux blindés, sur la chaussée et les trottoirs, des soldats casqués et en treillis en position de tir. Ils attendent. Puis les cameramen montrent la manifestation qui approche. Au début, on la distingue à peine dans la perspective lointaine de la rue, mais on ne va pas tarder à l'apercevoir. En effet, la tête du cortège apparaît. Il y a des hommes, mais aussi des femmes avec des enfants. Ils sont habillés de blanc, ce qui signifie qu'ils sont prêts à mourir. Les cameramen montrent leurs visages, encore vivants, leurs yeux. Les enfants sont déjà fatigués mais ils restent calmes, ils sont curieux de voir ce qui va se passer. Une foule qui marche simplement sur les chars sans ralentir, sans s'arrêter, une foule qui semble envoûtée, hypnotisée, hallucinée. Comme si elle ne voyait rien, comme si elle traversait une terre inhabitée, une foule qui semble avoir commencé sa montée céleste. L'image se met à trembler, car les mains des cameramen tremblent, dans les haut-parleurs on entend un crépitement, des tirs, des sifflements de balles, des cris. Gros plan sur des soldats qui changent de chargeur. Gros plan sur une tourelle de char qui balaie à droite et à gauche. Gros plan, burlesque, sur un officier dont le casque est enfoncé sur les yeux. Gros plan sur la chaussée, puis brusquement le plan s'envole sur le mur d'un immeuble d'en face, sur son toit, sur sa cheminée, sur un espace clair, puis sur le bord d'un nuage. Pour finir, un cadre vide et le noir. Une légende sur l'écran explique que ce sont les dernières images du cameraman, ses collègues ont survécu et sauvegardé son témoignage.

L'acte III ressemble à une scène de champ de bataille. Des morts jonchent le sol, un blessé rampe en direction d'un porche, des ambulances arrivent à toute allure, des gens courent, une femme crie, les mains tendues, un homme trapu, en sueur, essaie de soulever un corps. La foule s'est retirée, dispersée dans les rues latérales dans un reflux chaotique. Un hélicoptère rase les toits. Quelques rues plus loin, la vie quotidienne de la ville a repris son cours.

Une autre scène me revient à l'esprit : des manifestants défilent. Ils approchent d'un hôpital et deviennent silencieux ; ils veulent préserver la paix des malades. Autre image : des garçons ferment le cortège et ramassent les ordures qu'ils jettent dans des poubelles ; le chemin emprunté par la manifestation doit rester propre. Extrait de film : des enfants reviennent de l'école, des coups de feu se font entendre, les enfants se précipitent vers l'endroit où l'armée tire sur les manifestants, ils arrachent des feuilles de leurs cahiers, les trempent dans le sang qui coule sur le trottoir, puis repartent en courant à travers les rues en brandissant les feuilles ensanglantées. « Attention ! Là-bas on tire ! » avertissent-ils les passants. Un film tourné à Ispahan a été montré à plusieurs reprises. Des manifestants traversent une grande place. Marée de têtes. Soudain, de tous les côtés, l'armée ouvre le feu. La foule s'enfuit. Tumulte, cris, va-et-vient confus. Finalement la place se vide, et au moment où les derniers fuyards ont disparu en laissant derrière eux le vide immense de la place, on aperçoit au milieu un cul-de-jatte sur un fauteuil roulant. Lui aussi veut s'enfuir, mais une roue de son fauteuil est coincée (le film ne montre pas pourquoi). Les balles sifflent autour de lui, il se protège instinctivement la tête de ses bras, essaie désespérément de faire avancer son fauteuil avec ses mains, mais il fait du surplace, tourne sur lui-même. La scène est si choquante que les soldats cessent de tirer comme s'ils attendaient un ordre. Silence de plomb. Plan large, vide, avec au fond, à peine visible, une silhouette recroquevillée, semblable, de loin, à un insecte blessé en train de mourir, une créature solitaire qui lutte encore dans les mailles d'un filet qui se resserre de plus en plus sur lui. La scène ne dure pas longtemps. Les tirs reprennent, avec pour seule cible la silhouette désormais immobile. Elle restera au cœur de la place pendant une ou deux heures, tel un monument.

Les cameramen ont tendance à abuser des plans d'ensemble, à noyer les détails dans la masse. Or c'est à travers les détails qu'on peut tout montrer, une goutte reflète l'univers. Un détail est plus parlant qu'une vision globale, il est plus proche de nous. Ce qui me manque, ce sont des plans rapprochés sur des individus dans le cortège. Ce qui me manque, ce sont leurs conversations. L'homme qui défile est plein d'espoir. Il marche, car il compte sur quelque chose. Il marche en croyant qu'il va régler un problème sinon plus. Il est certain qu'il va améliorer son sort. Il marche en pensant : « Si nous gagnons, personne ne me traitera plus comme un chien. » Il pense aux chaussures qu'il va acheter, de bonnes chaussures, pour toute la famille. Il pense à une maison. « Si nous gagnons, je vivrai comme un être humain. Une vie nouvelle va commencer pour moi. Je suis un homme simple, mais je contacterai un ministre et je lui demanderai de m'aider à régler tous mes problèmes. Mais qu'ai-je à faire d'un ministre ? Nous créerons nous-mêmes un comité et nous prendrons le pouvoir ! » Il a d'autres idées, d'autres projets, tous vagues, certes, mais réconfortants, car ils ont au moins un mérite : ils se réaliseront. Il se sent grand, une force est en train de monter en lui, car en défilant dans la rue il participe à l'Histoire, pour la première fois il est maître de son destin, pour la première fois il joue un rôle, il a une influence, il décide, il *existe*.

Un jour, j'ai vu un cortège se former spontanément. Un homme marchait en chantant dans la rue qui mène à l'aéroport. C'était un chant sur Allah, *Allah Abkar*! Il avait une voix sonore au timbre magnifique et émouvant. Il marchait sans prêter attention à rien ni personne. Je l'ai suivi, je voulais écouter son chant. Au bout d'un moment, un groupe d'enfants qui jouaient dans la rue s'est joint à nous. Ils se sont mis à chanter aussi. Puis un groupe d'hommes, puis, timidement, quelques femmes. Quand le groupe a compté une centaine de personnes, il n'a cessé de grossir, selon une progression géométrique. La foule attire la foule, remarque Canetti. Ici, ils aiment être en foule, la foule les renforce, les valorise. Ils s'expriment à travers elle, ils la recherchent. Manifestement elle leur permet de se délester d'un poids qu'ils portent en eux quand ils sont seuls et qui les rend mal à l'aise.

Dans la même rue (naguère, elle s'appelait de Reza shah, aujourd'hui Engelob), un vieil Arménien vend des épices et des fruits secs. Comme l'intérieur de sa boutique est petit et encombré, le commerçant étale sa marchandise dans la rue, à même le trottoir : des sacs, des paniers, des bocaux de raisins secs, d'amandes, de dattes, de noix, d'olives, de gingembre, de grenades, de pruneaux, de poivre, de millet et de dizaines d'autres spécialités dont j'ignore le nom et l'usage. De loin, sur un fond de crépi gris tout effrité, son commerce évoque une palette riche et colorée, un tableau peint avec goût et imagination. Le marchand

214

change régulièrement la disposition des couleurs : un jour, les dattes brunes se trouvent à côté de pistaches pastel et d'olives vertes ; un autre jour, de fines amandes blanches occupent la place des dattes charnues, et là où se trouvait le millet doré rougeoie maintenant un monticule de gousses de poivre. Ce n'est pas seulement pour le plaisir des yeux que je viens contempler ce tableau de couleurs. Cette exposition évolutive est aussi pour moi une source d'information sur la situation politique. La rue Engelob est en effet souvent empruntée par les manifestants. Si le matin l'Arménien n'expose pas ses marchandises, cela veut dire qu'il s'attend à une journée chaude, il va y avoir une manifestation. Il faut donc que je me mette au travail, que je me renseigne au plus vite. Si, en revanche, en passant dans la rue Engelob, je vois de loin la palette flamboyer de toutes ses couleurs, je sais que la journée sera ordinaire, calme, banale, et que je peux aller chez Léon boire un petit whisky, la conscience tranquille.

Un peu plus loin dans la rue Engelob se trouve une boulangerie où l'on peut acheter du pain frais tout chaud. En Iran, le pain a la forme d'une grande galette plate. Le four où sont cuites ces galettes est un puits de trois mètres de profondeur aux parois tapissées d'argile. Un feu brûle au fond du puits. Les femmes adultères y étaient, jadis, précipitées. Razak Naderi travaille dans cette boulangerie, il a douze ans.

Il faudrait faire un film sur Razak. Il est arrivé à Téhéran à l'âge de dix ans pour chercher du travail. Dans son village situé près de Zanjan (à mille kilomètres de la capitale), il a laissé sa mère, deux petites sœurs et trois petits frères. Il est obligé d'entretenir sa famille. Il se lève à quatre heures du matin et s'agenouille devant le four. Le feu gronde, une chaleur terrible s'en dégage. Razak plaque les galettes contre les parois d'argile à l'aide d'une longue baguette et surveille leur cuisson. Il travaille jusqu'à dix heures du soir. L'argent qu'il gagne, il l'envoie à sa mère. Son patrimoine : un sac de voyage et une couverture dans laquelle il s'enroule la nuit. Razak change constamment de travail, il est souvent au chômage. Il sait qu'il est responsable de cette situation ; au bout de trois ou de quatre mois de travail, sa mère commence à lui manquer. Au début, il lutte contre le sentiment de nostalgie, mais il finit par craquer, prend l'autobus et rentre au village. Il aimerait rester le plus longtemps possible avec sa mère, mais il ne peut pas, il doit travailler, il est l'unique soutien de la famille. Il revient donc à Téhéran, mais le travail qu'il faisait a été pris par un autre. Razak se rend donc place Gumruk, lieu de rassemblement des chômeurs. C'est une bourse de main-d'œuvre bon marché. On vient s'y vendre pour les salaires les plus bas. Razak attend pourtant une ou deux semaines avant de se faire embaucher. Il reste planté toute la journée sur la place, transi de froid, trempé et affamé. Finalement un homme surgit et le remarque. Razak est heureux, il a retrouvé un travail.

Mais sa joie ne fait pas long feu, sa mère recommence bientôt à lui manquer cruellement, il retourne la voir puis revient sur la place Gumruk. À côté de Razak se trouve un univers, immense, celui du shah, de la révolution, de Khomeyni et des otages. Tout le monde en parle. L'univers de Razak est pourtant bien plus immense, tellement immense que Razak s'y perd.

Rue Engelob pendant l'automne et l'hiver 1978. D'énormes manifestations de protestation la parcourent sans relâche. Toutes les villes d'Iran sont le théâtre de manifestations semblables. La révolte se répand dans le pays tout entier. Des grèves éclatent. Tout le monde débraie, l'industrie et le transport s'immobilisent. En dépit des dizaines de milliers de victimes, la pression ne cesse de s'amplifier. Mais le shah reste sur le trône, le palais ne cède pas.

Toute révolution est une lutte entre deux forces : la structure et le mouvement. Le mouvement attaque la structure, aspire à sa destruction, la structure quant à elle se défend, veut détruire le mouvement. Aussi puissantes l'une que l'autre, ces deux forces ont des caractéristiques différentes. Ce qui caractérise le mouvement, c'est sa spontanéité, son impétuosité, son dynamisme et sa fugacité. La structure, en revanche, se distingue par sa force d'inertie, sa résistance, sa faculté étonnante, instinctive presque, de survie. Relativement facile à créer, la structure est beaucoup plus difficile à détruire. Elle est capable de survivre à toutes les raisons qui ont présidé à sa création. Pour s'en convaincre, il n'y a qu'à voir le nombre d'États faibles, voire fictifs, qui ont été créés. En tant que structure, aucun parmi eux ne sera jamais rayé de la carte, comme s'il y existait une solidarité des structures. Dès que l'une d'entre elles est menacée, les autres, ses sœurs, se précipitent pour lui venir en aide. Une structure se caractérise aussi par son élasticité qui l'aide à survivre. Quand elle est sous pression, qu'elle est acculée, elle parvient à se contracter, à rentrer le ventre et à attendre le moment où elle pourra de nouveau se propager. Il est intéressant de constater que cette nouvelle expansion se produit toujours à l'endroit précis de la contraction. En un mot, toute structure aspire à revenir au *statu quo*, l'état idéal pour elle. La structure n'est capable d'agir qu'en fonction d'un code programmé. Si on lui impose un nouveau programme, elle ne réagit pas. Pour redémarrer, elle a besoin du programme initial. La structure peut aussi jouer au yoyo ; on a l'impression qu'elle a disparu quand, soudain, elle remonte de nouveau. Le mouvement, qui ignore tout de ces caractéristiques, lutte longuement contre la structure avant de faiblir et finalement être défait.

Le théâtre du shah. Le shah avait une âme de metteur en scène, il voulait faire du théâtre à un niveau supérieur, à un niveau mondial. Il aimait le spectacle, il aimait plaire. La compréhension de l'art théâtral lui faisait toutefois défaut, il lui manquait la sagesse et l'imagination du metteur en scène, il pensait qu'il suffisait d'avoir un titre et de l'argent. Il avait à sa disposition une immense scène sur laquelle l'action se déroulait simultanément dans différents endroits. Il décida de mettre en scène une pièce intitulée « La Grande Civilisation ». Il importa à grands frais les décors de l'étranger : installations de toutes sortes, machines, appareils, montagnes de ciment, câbles, produits en plastique. L'essentiel du décor était constitué d'accessoires militaires : chars, avions, roquettes. Le shah arpentait la scène, fier et satisfait. Il écoutait les paroles de gratitude et les louanges qui se déversaient des haut-parleurs serrés les uns contre les autres. Les lumières des projecteurs balayaient les décors, puis s'arrêtaient sur la silhouette du shah. Il posait ou déambulait sous leurs feux. C'était une pièce dont l'acteur et le metteur en scène étaient le même homme, le shah. Tous les autres n'étaient que des figurants. Au plus haut niveau il y avait la grande cour : les généraux, les ministres, les dames distinguées, les valets. Puis il y avait les niveaux intermédiaires. Et tout en bas s'entassaient les figurants de la plus basse catégorie. C'étaient les plus nombreux. Attirés par le mirage de hauts salaires, ils affluaient de leurs villages dans les villes misérables, le shah leur promettait des montagnes d'or. Le shah ne quittait jamais la scène, surveillant l'action et dirigeant le jeu des figurants. Il lui suffisait de faire un geste pour que les généraux deviennent droits comme des I, que les ministres lui baisent la main, que les dames lui fassent la révérence. Quand il descendait à un étage inférieur et hochait la tête, il était aussitôt assailli par des fonctionnaires qui attendaient une récompense ou une promotion. Il n'apparaissait au rez-de-chaussée que rarement et pour un bref instant seulement. Les figurants qui peuplaient le niveau le plus bas avaient un comportement totalement apathique. Ils étaient désemparés, désorientés, écrasés par la grande ville, trompés et exploités. Ils se sentaient mal à l'aise au milieu de ces décors inconnus, dans cet univers hostile et agressif. Dans ce nouveau paysage, leur seul point de repère était la mosquée, car dans leur village il y en avait une aussi, ils y allaient donc. [Dans la ville, le seul personnage qui leur était proche était le mollah ; au village aussi il leur était familier, il était l'autorité suprême, il tranchait les débats, il partageait l'eau, il accompagnait les hommes de la naissance à la mort. Aussi, dans la grande ville, fréquentaient-ils le mollah avec assiduité, ils écoutaient sa voix, la voix de leur enfance, de leur terre perdue.]

La pièce se joue à différents niveaux simultanément, l'action est dense. Les décors s'animent et s'éclairent, les roues se mettent à tourner, les cheminées à fumer, les chars à manœuvrer, les ministres baisent la main du shah, les fonctionnaires courent après les récompenses, les policiers froncent les sourcils, les mollahs parlent sans s'arrêter, les figurants se taisent et travaillent. La foule et l'agitation ne cessent de grossir. Toujours sous le feu des projecteurs, le shah passe, faisant un signe de la tête à l'un, un geste de la main à l'autre. Mais bientôt, une certaine confusion s'installe sur la scène comme si tous les acteurs avaient oublié leur texte. Ils jettent le script à la corbeille à papier et se mettent à inventer eux-mêmes leur rôle. Une insurrection au théâtre ! Le spectacle change de genre, il se transforme en une sorte d'improvisation violente et féroce. Laissés pour compte depuis longtemps, désillusionnés, méprisés, les figurants du rez-de-chaussée se lancent à l'assaut et grimpent aux étages supérieurs. Les figurants des étages intermédiaires se révoltent aussi et se joignent aux hommes du rez-de-chaussée. La scène est envahie de drapeaux noirs chiites, le chant de guerre des manifestants, *Allah Akbar*, hurle dans les haut-parleurs. Les chars manœuvrent, les policiers tirent. L'appel traînant du muezzin retentit du haut du haut du minaret. Le dernier étage est la proie d'un désordre indicible ! Les ministres fourrent leur argent dans des sacs et s'enfuient, les dames s'emparent de leurs coffrets à bijoux et disparaissent, les valets, désemparés, courent dans tous les sens. Des fedayin et des moudjahidin en treillis verts apparaissent sur scène. Ils ont pris possession des arsenaux, ils sont armés jusqu'aux dents. Les soldats qui, jusqu'à présent, tiraient dans la foule fraternisent avec le peuple et plantent des œillets rouges dans les canons de leurs fusils. La scène est jonchée de bonbons. Dans la liesse générale, les marchands jettent des paniers de sucreries dans la foule. Bien qu'on soit en plein jour, les voitures ont toutes leurs phares allumés. Un grand rassemblement se tient au cimetière. Tous sont venus pleurer les victimes du massacre. Une mère dont le fils s'est suicidé parce qu'il ne voulait pas tirer sur ses frères qui manifestaient prend la parole. Le vénérable ayatollah Taleghani prononce un discours. Petit à petit, les lampes des projecteurs s'éteignent. Dans la scène finale, le trône impérial incrusté de rivières de pierres précieuses dégringole de l'étage le plus élevé désormais désert et atterrit au rez-de-chaussée. Il rayonne de tous ses feux. Un personnage grand, sublime, majestueux y est assis. Lui aussi rayonne d'une lumière étincelante. Ses mains et ses pieds, sa tête et son buste sont reliés à des fils et des câbles. La vue de ce demi-dieu inspire la terreur, il terrorise, subjugue. Un groupe d'électriciens surgit sur la scène, débranche les câbles et coupe les fils les uns après les autres. L'auréole étincelante du personnage se met à ternir. Il devient de plus en plus petit et de plus en plus ordinaire. Pour finir, les électriciens s'éclipsent et un monsieur mince, vieux, exactement le genre d'homme qu'on peut rencontrer au cinéma, au café ou dans une file d'attente, se lève du trône, tapote son costume pour le débarrasser de la poussière, rectifie sa cravate et quitte la scène pour se rendre à l'aéroport.

Le système que le shah avait créé n'était capable que de se défendre sans jamais pouvoir satisfaire les hommes. Ce fut sa plus grande faiblesse et la cause véritable de son ultime défaite. Le type de système qu'il avait mis en place reposait sur le mépris que le souverain entretenait à l'égard de son peuple, sur sa conviction qu'il était toujours possible de duper la nation ignorante en lui promettant monts et merveilles. Mais un proverbe iranien dit que les promesses n'ont de valeur que pour ceux qui y croient.

Khomeyni rentra d'exil et avant de regagner Qom, fit une brève halte à Téhéran. Tout le monde souhaitait le voir, plusieurs millions de gens voulaient lui serrer la main. Le bâtiment de l'école dans lequel il s'arrêta était assiégé par les foules. Tout le monde s'estimait en droit de rencontrer l'ayatollah. Tout le monde s'était en effet battu, avait versé de son sang pour le faire revenir. Une atmosphère d'euphorie, de liesse générale régnait dans la ville. Les gens circulaient en se tapotant mutuellement l'épaule, l'air de se dire : Tu vois ! On peut tout faire !

Ces instants ont beau être d'une rareté exceptionnelle, le sentiment de victoire semblait naturel et mérité. La Grande Civilisation du shah gisait, en ruine. Qu'avait-elle été au juste ? Une greffe étrangère qui n'avait pas réussi à prendre. Une tentative d'imposer un mode de vie à une société attachée à des traditions et des valeurs totalement différentes. Une contrainte, une opération chirurgicale dont l'objectif consistait plus à réussir un exploit qu'à préserver la vie et surtout la personnalité du patient.

Une fois amorcé, le rejet d'une greffe est toujours un processus irréversible. Il suffit que la société prenne conscience que le mode de vie qui lui est imposé lui apporte plus d'inconvénients que d'avantages. Soudain elle commence à manifester son hostilité, d'abord de manière clandestine et passive, puis de plus en plus ouvertement et radicalement. Elle n'aura de cesse qu'elle ait purifié son organisme de ce corps étranger imposé par la force. Elle restera sourde aux persuasions et aux argumentations. Elle demeurera fiévreuse, incapable de réfléchir. Pourtant la Grande Civilisation reposait sur des intentions nobles, sur de beaux idéaux. Mais le peuple ne les voyait que sous forme de caricatures, et donc sous l'apparence que prennent les idées quand elles se traduisent en pratique. C'est ainsi que des idées même sublimes perdent toute crédibilité.

Et après ? Que s'est-il passé après ? Sur quoi dois-je écrire maintenant ? Sur la manière dont se termine une grande épreuve ? C'est un triste sujet. Car une révolte est une épreuve immense, une aventure pleine d'émotions. Il n'y a qu'à observer les gens qui participent à une insurrection. Ils sont excités, émus, prêts au sacrifice. Au moment de la révolte, ils vivent dans un univers unidimensionnel, limité à une pensée unique : ils n'aspirent qu'à atteindre le but visé. Tout est subordonné à cet objectif, tout obstacle devient surmontable, aucun sacrifice n'est trop grand. La révolte libère du quotidien, du moi, qui semblent désormais petits, médiocres, étrangers. Stupéfié, on découvre en soi des ressources d'énergie insoupçonnées, on est capable de comportements si nobles qu'on en est soi-même admiratif. Comme on est fier d'avoir réussi à s'élever si haut ! Comme on est satisfait d'avoir pu donner tant de soi-même ! Mais arrive le moment où cet état d'esprit s'éteint et où tout se termine. Instinctivement, par réflexe, on répète certains gestes et certaines paroles, on veut encore que tout soit comme hier, mais on sait (et cette prise de conscience est effrayante) que ce passé ne se répétera plus. On regarde autour de soi et on fait une autre constatation : les autres ont également changé, en eux aussi la flamme s'est éteinte, elle a cessé de brûler. Soudain notre communauté se désagrège, chacun retourne à son moi quotidien qui, au début, le serre comme un costume mal taillé, mais on sait que ce sont nos vêtements et qu'on n'en aura pas d'autres. On se regarde dans les yeux de mauvais gré, on évite les conversations, on a cessé d'être utiles les uns aux autres.

Cette chute de température, ce changement de climat est une expérience difficile et déprimante. Cela commence par un jour où il devrait se passer quelque chose. Mais il **ne se** passe rien. On ne nous appelle plus, on n'est **plus** attendu, on est devenu superflu. On commence à ressentir une immense fatigue, on est petit à petit pris par l'apathie. On se dit : « Il faut que je me repose, il faut que je reprenne des forces. » On veut respirer **un** peu d'air frais. On veut absolument assumer des tâches quotidiennes : faire le ménage, réparer une fenêtre, réflexes d'autodéfense pour éviter la dépression imminente. On se prend par la main et on répare la fenêtre. Mais on ne se sent pas mieux pour autant, le cœur n'y est pas, car on reste miné, rongé par un malaise.

Moi aussi, j'ai partagé ce sentiment qui assaille tout un chacun quand on est assis autour d'un feu moribond. Je marchais dans Téhéran d'où avaient disparu toutes les traces des événements d'hier. Elles avaient disparu soudainement, comme si rien ne s'était passé. Quelques cinémas incendiés, quelques banques détruites, symboles d'influences étrangères. La révolution attache une grande importance aux symboles. Elle détruit certains monuments qu'elle remplace par les siens propres, dans l'espoir que ses images, ses métaphores lui permettront de durer et de survivre. Et les gens, que sont-ils devenus ? Ils sont redevenus les passants d'autrefois, inscrits dans le paysage morne de la vieille ville. Ils vaquent à leurs occupations ou alors se réchauffent les mains devant des braseros.

De nouveau chacun séparément, chacun pour soi. Ils sont renfermés et taciturnes. Peut-être attendent-ils quelque chose, un événement extraordinaire. Je ne sais pas, je suis incapable de le dire.

Tout ce qui constitue la partie extérieure, la partie visible de la révolution disparaît rapidement. L'homme, l'individu, a mille façons d'exprimer ses sentiments et ses pensées. Il dispose d'une palette infiniment riche, d'un univers où il est toujours possible de faire une découverte. En revanche, la foule est réductrice. Dans la foule, l'homme se limite à quelques comportements élémentaires. Les formes à travers lesquelles la foule exprime ses aspirations sont d'une indigence incroyable et se répètent constamment : manifestations, grèves, rassemblements, barricades. On peut écrire un roman sur un homme, alors que sur une foule c'est impossible. Si la foule se disperse, tout le monde rentre chez soi et plus personne ne se rassemble, on dit que la révolution est terminée.

Je visite le siège des comités puisque tel est le nom des organes du nouveau pouvoir. Des hommes non rasés sont assis à des tables dans des locaux sales et encombrés. Je vois leurs visages pour la première fois. J'ai en mémoire les noms de personnes qui ont agi dans l'opposition sous le règne du shah, activement ou de manière indirecte. Logiquement, ces personnes devraient maintenant se trouver aux rênes du pouvoir. Je demande où je pourrais les rencontrer. Les hommes des comités l'ignorent. En tout cas, elles ne sont pas là. La structure solide où un tel se trouvait au pouvoir, tel autre dans l'opposition, un troisième gagnait de l'argent et un quatrième critiquait, cette construction complexe, en place depuis des années, a été balayée par la révolution comme un château de cartes. Pour ces gaillards barbus qui savent tout juste lire, les personnes dont je m'enquiers ne signifient rien. Que leur importe que récemment encore Hafez Farman ait perdu son poste pour avoir critiqué le shah, que Kulsum Kitab se soit comporté comme un laquais et ait fait carrière ? C'est le passé, ce monde-là n'existe plus. La révolution a conduit au pouvoir des hommes complètement nouveaux, hier encore anonymes, inconnus du public. Les barbus passent désormais leur temps à siéger et à délibérer. À quel sujet ? Au sujet de ce qu'il faut faire. Car le comité doit faire quelque chose. Ils prennent la parole à tour de rôle. Chacun veut s'exprimer, faire un discours. On sent que c'est fondamental pour eux, qu'ils y attachent une importance capitale. Après, on peut dire à son voisin : « J'ai prononcé un discours. » Les gens se demandent entre eux : « As-tu entendu son discours ? » Quand il passe dans la rue, ils peuvent l'arrêter afin de lui dire avec reconnaissance : « Tu as fait un discours intéressant ! » Petit à petit, une hiérarchie informelle s'instaure, le sommet étant occupé par ceux qui font de bons discours tandis qu'à la base s'entassent les introvertis, ceux qui ont des défauts d'élocution, les cohortes de gens incapables de surmonter leur trac et enfin tous ceux qui considèrent que les bavardages incessants n'ont aucun sens. Le lendemain, les orateurs reprennent leurs discours comme si rien ne s'était passé la veille, comme si tout devait être repris depuis le début.

L'Iran. La vingt-septième révolution à laquelle j'ai assisté dans le tiers monde. Dans la fumée et le vacarme, j'ai vu des souverains céder leur place à d'autres, des gouvernements tomber, des hommes nouveaux s'installer sur des trônes. Mais une chose était immuable, indestructible et – je crains de prononcer le mot – éternelle : le désarroi. Comme ces comités iraniens me rappelaient ceux que j'avais vus en Bolivie ou au Mozambique, au Soudan ou au Bénin ! Que faire ? Tu sais, toi, ce qu'il faut faire ? Moi ? Je l'ignore. Peut-être que toi, tu sais ? Moi ? J'aimerais tant aller jusqu'au bout. Mais comment ? Comment aller jusqu'au bout ? C'est bien là le problème. Tout le monde s'accorde à dire que ce sujet mérite d'être discuté. L'air est étouffant, la salle est enfumée. Les discours sont plus ou moins bons, certains sont brillants. Après un bon discours, chacun est satisfait, chacun a pris part à un véritable succès.

De plus en plus intrigué, je me suis installé au siège d'un comité (sous prétexte d'attendre un ami). Je voulais voir comment se réglait une affaire toute simple. Au fond, la vie consiste à régler des problèmes, le progrès à les régler efficacement et à la satisfaction générale. Une femme est entrée pour demander une attestation. Celui qui était censé la recevoir prenait justement part à une discussion. La femme a attendu. Ici, les gens ont une endurance à l'attente fantastique, ils sont capables de se transformer en pierre et de se figer indéfiniment. Pour finir, le préposé s'est avancé et a engagé la conversation avec la femme. La femme parlait, il posait des questions, la femme posait des questions, il parlait. À l'issue de quelques négociations, ils sont parvenus à un accord. Il a fallu ensuite chercher une feuille de papier. Des formulaires traînaient sur une table, mais aucun ne semblait être le bon. L'homme a disparu, sans doute pour aller chercher le bon papier, ou alors boire un thé au bar d'en face (il faisait une chaleur torride). La femme a attendu en silence. L'homme a fini par revenir, il s'est essuyé la bouche d'un air satisfait (il venait sûrement de prendre un thé), mais il avait aussi rapporté une feuille de papier. C'est alors qu'a commencé la partie la plus dramatique : la recherche d'un crayon. Il n'y en avait nulle part, ni sur la table, ni dans aucun tiroir, ni par terre. J'ai prêté mon stylo. Il a souri, la femme a soupiré d'aise. Il s'est alors assis pour écrire. Quand il a commencé à rédiger le certificat, il s'est rendu compte qu'il ne savait pas très bien ce qu'il devait certifier. Ils ont commencé à discuter, l'homme hochait la tête. Le document a fini par être rédigé. Il ne restait plus qu'à le faire signer par un supérieur. Or il n'y avait pas de supérieur. Le supérieur était en train de débattre dans un autre comité, il était impossible d'entrer en contact avec lui, car le téléphone ne répondait pas. Attendre. La femme s'est de nouveau transformée en pierre, l'homme a disparu, et moi je suis allé boire un thé.

Avec le temps, cet homme apprendra à rédiger des certificats et à régler bien d'autres problèmes. Mais au bout de quelques années se produira une autre révolution, et l'homme que nous connaissons sera parti et aura été remplacé par un autre qui à son tour cherchera une feuille de papier et un crayon. La même femme ou une autre attendra en se transformant en pierre. Quelqu'un leur prêtera un stylo. Le supérieur sera occupé par une discussion. Comme leurs prédécesseurs, ils recommenceront tous à se débattre dans le cercle maudit de l'impuissance. Qui a créé ce cercle ? En Iran, c'est le shah. Le shah estimait que l'urbanisation et l'industrialisation étaient la clé de la modernité. Or c'est une idée erronée. La clé de la modernité, c'est le village. Le shah était fasciné par la vision de centrales atomiques, de moyens de production informatisés et de vastes complexes pétrochimiques. Mais dans un pays sous-développé, ce ne sont que des leurres. Dans un pays sous-développé, la majorité des hommes vivent dans des villages pauvres qu'ils fuient pour aller dans les villes. Ils constituent une force jeune et énergique qui ne sait pas faire grand-chose (ils sont souvent illettrés, sans qualification), mais qui a des ambitions et est prête à se battre. Arrivés dans la ville, ces hommes trouvent un ordre établi lié d'une manière ou d'une autre au pouvoir existant. Ils commencent alors par regarder autour d'eux, se familiarisent avec leur environnement, prennent leurs marques et passent à l'attaque. Dans leur lutte, ils utilisent l'idéologie qu'ils ont rapportée de leur village, la religion en général. Comme ils constituent une force vraiment motivée, ils finissent souvent par gagner. Le pouvoir passe alors entre leurs mains. Mais que faire avec le pouvoir ? Ils se mettent à discuter et entrent dans le cercle maudit de l'impuissance. Le peuple survit tant bien que mal, mais eux vivent de mieux en mieux. Pendant un certain temps, ils vivent tranquillement. Leurs successeurs courent encore dans la steppe, font paître les chameaux et gardent des troupeaux de moutons. Une fois qu'ils auront grandi, ils se rendront à la ville à leur tour et entreprendront la lutte. Qu'est-ce que cela signifie ? Cela signifie que ces nouveaux venus sont plus porteurs d'ambition que de compétences. Finalement, après chaque soulèvement, le pays revient à son point de départ, il recommence à zéro, car la génération des vainqueurs doit réapprendre depuis le début tout ce que la génération des vaincus a eu tant de peine à maîtriser. Cela veut-il dire que les vaincus étaient efficaces et sages ? Pas du tout. La génération précédente a poussé sur le même terreau que celle qui la remplace.

Comment sortir de ce cercle de l'impuissance ? En développant les villages, c'est la seule issue. Tant que les villages seront retardés, le pays le restera également en dépit des milliers d'usines qui y sont construites. Tant que le fils installé en ville considérera son village natal comme un pays exotique, le peuple auquel il appartient ne pourra connaître la modernité.

Dans leurs discussions sur ce qu'il fallait faire, les comités s'accordaient tous à dire que l'essentiel était de se venger. C'est ainsi qu'ont commencé les exécutions. Cette activité semblait leur procurer une sorte de jubilation. Les journaux publiaient, en première page, des photos de condamnés aux yeux bandés et de garçons les mettant en joue. Les exécutions étaient commentées en long et en large : qu'avait dit le condamné avant de mourir ? comment s'était-il comporté ? qu'avait-il écrit dans sa dernière lettre ? Ce phénomène suscita une vive émotion en Europe. Mais en Iran, peu de gens comprenaient ces récriminations. Pour eux, la vengeance était un principe vieux comme le monde. Un shah régnait, puis on le décapitait, son successeur accédait au trône, on lui coupait la tête. Existait-il un autre moyen pour s'en débarrasser ? Le shah n'aurait jamais cédé la place de lui-même. Fallait-il les laisser en vie, lui et ses partisans ? Ils auraient aussitôt levé une armée et repris le pouvoir. Fallait-il les emprisonner ? Ils auraient soudoyé les geôliers, se seraient évadés et auraient massacré ceux qui les avaient renversés. Étant donné le contexte, l'exécution semble correspondre à un instinct de conservation élémentaire. Nous nous trouvons dans un monde où le droit consiste non pas à protéger l'être humain mais à détruire l'adversaire. Oui, ce comportement peut paraître d'une cruauté et d'un sectarisme terrifiants. L'ayatollah Khalkhali a raconté à un groupe de journalistes, dont je faisais partie, qu'après la condamnation à mort de l'ancien Premier ministre Hoveyda il s'était mis à douter de la loyauté du peloton d'exécution. Il craignait qu'il ne le laisse s'évader. Il a donc embarqué Hoveyda dans sa voiture. C'était la nuit, ils étaient tous les deux assis dans le véhicule de l'ayatollah. Khalkhali nous a raconté qu'ils discutaient, mais il ne nous a pas dit à quel sujet. Ne craignait-il pas que le ministre lui échappe ? Non, cela ne lui est même pas venu à l'esprit. Le temps passait, Khalkhali réfléchissait à des hommes de confiance à qui il pourrait livrer Hoveyda. Des hommes de confiance, autrement dit des hommes qui mettraient à exécution le verdict de manière loyale. Il a fini par penser aux membres d'un comité dont le siège se trouvait près du bazar. Il y a conduit Hoveyda et le leur a confié.

Quand j'essaie de les comprendre, je m'embourbe dans une zone obscure. Ils ont un autre rapport à la vie et à la mort. Ils réagissent autrement à la vue du sang. La vue du sang suscite en eux tension, fascination, elle les plonge dans une espèce de transe mystique, je vois leurs gestes saccadés, j'entends leurs cris. Un jour, le propriétaire d'un restaurant voisin a garé sa voiture devant mon hôtel. C'était une Pontiac flambant neuve qui venait tout droit de chez le concessionnaire. Soudain, j'ai senti une certaine excitation. Dans la cour, des poulets ont été égorgés dans des hurlements. Les gens se sont mis à s'asperger du sang des volailles, puis ils en ont barbouillé la carrosserie de la voiture. La Pontiac a fini par devenir toute rouge. C'était son baptême. Elle dégoulinait de sang. Les gens se précipitaient pour s'en barbouiller les mains. Personne n'a pu m'expliquer l'origine de cette coutume.

Ils sont capables d'observer une discipline de fer pendant des heures entières. Cette performance a lieu le vendredi, lors de la prière commune. Au petit matin, le musulman le plus pieux arrive le premier sur la grande place, déploie un petit tapis et s'agenouille sur sa frange. Après lui en arrive un autre qui déploie à son tour son petit tapis juste à côté du premier (la place est pourtant entièrement vide). Puis vient le fidèle suivant et ainsi de suite. Un millier, un million de fidèles. Tous étalent leur petit tapis et s'agenouillent en rangs égaux, disciplinés, silencieux, le visage tourné en direction de La Mecque. Vers midi, le guide de la prière du vendredi commence le rituel. Comme un seul homme, tous se lèvent, enchaînent sept révérences, redressent la tête, se plient en deux, tombent à genoux, se prosternent front contre terre, s'assoient sur les talons, de nouveau se prosternent front contre terre. Le rythme parfait, imperturbable de ce million de corps est un spectacle difficile à décrire, pour moi un peu effrayant. Heureusement, dès que la prière prend fin, les rangs se désintègrent aussitôt, un tumulte s'élève et une confusion agréable, libre, décontractée s'instaure.

Les dissensions n'ont pas tardé à éclater dans le camp de la révolution où tous étaient opposés au shah et voulaient le déposer, mais où ils n'étaient pas deux à imaginer l'avenir de la même façon. Les uns pensaient qu'il fallait mettre en place une démocratie à l'image de celle qu'ils avaient connue en France ou en Suisse. Ceux-là furent les premiers à perdre leur pari dans la lutte qui s'engagea au lendemain du départ du shah. C'étaient des gens intelligents, sages, mais faibles. D'emblée, ils furent pris au piège d'un paradoxe : la démocratie ne pouvait être imposée par la force et devait être soutenue par la majorité, or la majorité voulait ce que Khomeyni voulait, une république islamique. Après le départ des libéraux restèrent les défenseurs de la république. Mais eux aussi finirent par en venir aux mains. Dans cette lutte âpre, la ligne conservatrice prit progressivement le dessus sur la ligne éclairée et ouverte. J'ai connu des gens des deux camps, et chaque fois que je pensais à ceux vers qui allait ma sympathie, j'étais saisi de pessimisme. Le leader des éclairés était Bani Sadr. Mince, légèrement voûté, toujours vêtu d'un polo, il allait et venait, s'efforçait de convaincre, ne cessait de débattre. Il avait des milliers d'idées, parlait beaucoup, beaucoup trop, élaborait des théories interminables, écrivait des livres dans une langue laborieuse et obscure. Un intellectuel n'a pas sa place en politique dans ce genre de pays. Il a trop d'imagination, a tendance à tergiverser, à aller dans toutes les directions. Quel bénéfice peut-on tirer d'un dirigeant qui ne sait pas lui-même à quoi s'en tenir ? Beheshti, qui représentait la ligne dure, ne s'est jamais comporté de cette manière. Il réunissait son quartier général et dictait des instructions. Tous lui étaient reconnaissants, car ils savaient comment agir, que faire. Beheshti tenait les rênes du pouvoir chiite, Bani Sadr dirigeait ses amis et ses partisans. La base de Bani Sadr était constituée d'intellectuels, d'étudiants, de moudjahidin, celle de Beheshti d'une foule prête à répondre à l'appel des mollahs. Il était clair que Bani Sadr devait perdre. Mais la main du Clément et Miséricordieux allait aussi s'abattre sur Beheshti.

Des commandos firent leur apparition dans les rues. C'étaient des groupes de jeunes gens costauds, avec des couteaux qui dépassaient de leurs poches revolver. Ils attaquaient les étudiants, des ambulances venaient chercher des jeunes filles blessées dans les universités. Des manifestations commencèrent, la foule défilait en levant le poing. Mais contre qui, cette fois ? Justement contre l'homme qui écrivait des livres dans une langue laborieuse et obscure. Des millions de gens étaient sans travail, les paysans vivaient toujours dans des masures, mais quelle importance ! Les hommes de Beheshti avaient d'autres chats à fouetter, ils luttaient contre la contre-révolution. Oui, ils avaient enfin trouvé ce qu'il fallait faire, ce qu'il fallait dire. Tu n'as rien à manger ? Tu n'as pas de toit ? Nous allons te montrer qui est responsable de ton malheur. C'est un contre-révolutionnaire. Liquide-le ! Et tu pourras mener une vie digne et humaine. Mais de quel contre-révolutionnaire parlez-vous ? Hier encore nous nous battions ensemble contre le shah ! Hier, c'est hier. Aujourd'hui, il est ton ennemi. Après avoir écouté ces propos, la foule enfiévrée se lance à l'assaut sans chercher à savoir s'il s'agit d'un ennemi véritable. Mais on ne peut pas en vouloir à la foule, car elle ne veut qu'une seule chose : vivre mieux. Aspirant depuis longtemps à un avenir meilleur, elle ne sait pas, ne comprend pas pourquoi ces jours radieux se font toujours attendre en dépit de ses efforts, de ses sacrifices et de son abnégation.

Autour de moi, mes amis sombraient dans la dépression les uns après les autres. Ils disaient qu'un cataclysme se préparait. Comme toujours à l'approche de temps difficiles, les intellectuels étaient découragés et perdaient la foi. Ils erraient dans les ténèbres sans savoir où diriger leurs pas. Ils étaient pleins de terreur et de frustration. Eux qui naguère ne rataient pas une manifestation se mettaient maintenant à craindre la foule. En discutant avec eux, je pensais au shah. Le shah voyageait à travers le monde, son visage, de plus en plus émacié, apparaissait parfois dans les journaux. Jusqu'à la fin, il crut qu'il reviendrait au pays. Il n'y revint jamais, mais le plus gros de son œuvre demeura. Quand un despote s'en va, la dictature ne se termine pas complètement à son départ. Pour exister, une dictature s'appuie sur l'obscurantisme dont les dictateurs prennent toujours grand soin, qu'ils cultivent méticuleusement. Il faut des générations et des générations pour changer cet ordre de choses, pour laisser filtrer un brin de lumière. Avant que les choses ne changent, ceux qui ont renversé le dictateur agissent souvent malgré eux comme ses héritiers, en prolongeant, par leurs comportements et leur manière de penser, l'époque même qu'ils ont contribué à détruire. C'est involontaire et inconscient, et si on leur en fait le reproche ils prennent la mouche, s'offusquent. D'un autre côté, le shah peut-il être rendu responsable de tout cela ? Le shah avait hérité d'une tradition, il manœuvrait dans les limites de coutumes séculaires. Il est toujours difficile de franchir ces frontières, il est toujours difficile de changer le passé.

Quand je veux me remonter le moral et passer un moment agréable, je me rends rue Ferdousi où Monsieur Ferdousi tient une boutique de tapis persans.

Monsieur Ferdousi, qui a passé sa vie entière à côtoyer l'art et la beauté, regarde la réalité qui l'entoure comme un film de série B dans un cinéma minable et sale. « Mon cher monsieur, tout est une affaire de goût, me dit-il, il faut avoir du goût, c'est ce qui importe le plus. Le monde aurait une autre allure si les gens étaient un peu plus nombreux à avoir du goût. Toutes les horreurs [car pour lui ce sont de véritables horreurs], le mensonge, la trahison, le vol, la délation, ont un dénominateur commun : elles sont commises par des gens dénués de goût. » Il croit que le peuple survivra et que la beauté est indestructible. « Il faut que vous vous souveniez, me dit-il en déroulant un tapis [il sait pertinemment que je ne l'achèterai pas mais il me le montre pour le plaisir des yeux], que ce qui a permis aux Perses de rester des Perses pendant deux mille cinq cents ans, ce qui nous a permis de rester nous-mêmes, en dépit de toutes les guerres, les invasions et les occupations, c'est notre force spirituelle, et non pas notre force matérielle, notre poésie, et non pas notre technique, notre religion, et non pas nos usines. Qu'avons-nous donné au monde ? La poésie, les miniatures et les tapis. Comme vous le constatez, les choses les plus inutiles du point de vue de la production. Mais c'est à travers elles que nous nous sommes exprimés. Nous avons donné au monde des merveilles superflues, uniques, irremplaçables. Notre contribution à l'humanité ne sert pas à faciliter la vie, mais à l'embellir, pour autant que cette distinction ait un sens, bien sûr. Car un tapis, par exemple, est pour nous une nécessité vitale. Déployez un tapis sur un sol désertique et brûlé ! Installez-vous dessus ! Vous aurez l'impression d'être couché sur une prairie verdoyante. Oui, nos tapis évoquent des prés florissants. Vous y voyez des fleurs, un jardin, un petit étang et une fontaine. Des paons passent entre les buissons. Sans compter qu'un tapis a la vie longue, un bon tapis conserve ses couleurs pendant des siècles. Ainsi, on peut vivre dans un lieu nu et monotone tout en étant dans un jardin éternel, un lieu aux teintes et à la fraîcheur impérissables. On peut aussi s'imaginer que ce jardin embaume, on peut entendre le murmure du ruisseau et le chant des oiseaux. On se sent bien, on se sent supérieur, on est près du ciel, on est un poète. »

TABLE

Mise en page par Meta-systems
Roubaix (59100)

CET OUVRAGE
A ÉTÉ ACHEVÉ D'IMPRIMER
SUR ROTO-PAGE
PAR L'IMPRIMERIE FLOCH
À MAYENNE EN JUIN 2010

N° d'édition : L.01EHBN000313.A002. N° d'impression : 76918
Dépôt légal : mars 2010
Imprimé en France